LAÇOS DE SANGUE

MARCIO SERGIO CHRISTINO & CLAUDIO TOGNOLLI

LAÇOS DE SANGUE

A HISTÓRIA SECRETA DO PCC

© 2017 - Marcio Sergio Christino e Claudio Tognolli
Direitos em língua portuguesa para o Brasil:
Matrix Editora
www.matrixeditora.com.br

Diretor editorial
Paulo Tadeu

Capa, projeto gráfico e diagramação
Allan Martini Colombo

Foto da capa
Alex Silva/Estadão Conteúdo/AE

Revisão
Marina Paternosky
Cida Medeiros
Eduardo Ruano

CIP-BRASIL - CATALOGAÇÃO NA PUBLICAÇÃO
SINDICATO NACIONAL DOS EDITORES DE LIVROS, RJ

Christino, Marcio Sergio
Laços de sangue: a história secreta do PCC / Marcio Sergio Christino, Claudio Tognolli. - 1. ed. - São Paulo, 2017.
:il.

ISBN 978-85-8230-425-9

1. Primeiro Comando da Capital (Crime organizado). 2. Crime organizado - Brasil. 3. Criminosos - Brasil. I. Tognolli, Claudio. II. Título.

17-44346
CDD: 364.1060981
CDU: 343.341(81)

SUMÁRIO

	APRESENTAÇÃO I 7
	APRESENTAÇÃO II 9
PRÓLOGO	BATISMO DE SANGUE 11
CAPÍTULO 1	O OVO DA SERPENTE 15
2	DE VOLTA AO BATISMO DE SANGUE 18
3	O DOMINGO NEGRO 27
4	A FACE DESCONHECIDA DO PCC 31
5	PREPARANDO A TEIA 38
6	TÁ TUDO DOMINADO 44
7	O PCC TRANSBORDA AS MURALHAS 52
8	A HORA E A VEZ DOS PILOTOS 60
9	O ÍDOLO GIGANTE 65
10	O VÍRUS SE ESPALHA 77
11	VINGANÇA SEM FIM 84
12	EFEITO CHACAL 91
13	A OPERAÇÃO 99
14	O MESTRE TERRORISTA 112
15	LADRÃO NÃO ROUBA LADRÃO NO PCC 117
16	O BOTE 120
17	AMOR MORTAL 124
18	A QUEDA DE CÉSAR 129
19	MALINHA? TÚMULO! 131

20	MORRE O GRANDE LÍDER 136
21	CÍRCULO FECHADO 139
22	OLHO POR OLHO 143
23	O JUIZ JULGADO E CONDENADO 150
24	UM TIRO NA VÊNUS PLATINADA 175
25	SEJA FEITA A SUA VONTADE 183
26	CONTRAOFENSIVA 195
27	O BRASIL BOLIVIANO 198
28	O DESAFIO DE ETHOS 221
29	O PCC PERDE UM BRAÇO 228
30	O PCC É O NOVO REI DA FRONTEIRA 236
31	O FUTURO DO CRIME ORGANIZADO 240
	EPÍLOGO 246

APRESENTAÇÃO I

Laços de Sangue é uma obra instigante, fundamentada em fatos reais, fielmente traduzidos por um de seus idealizadores, o doutor Marcio Sergio Christino. Nem poderia ser diferente, já que, como brilhante promotor de Justiça no Estado de São Paulo, à época exercendo suas funções no Gaeco, protagonizou os principais embates contra a congregação criminosa que se autointitula "PCC".

Atentando-me aos detalhes do discurso sobre a facção Primeiro Comando da Capital, como testemunha de sua história, pude reconhecer com clareza a descrição de seu verdadeiro perfil, representado com vivacidade, pelos autores deste livro.

Afinal, o doutor Marcio Sergio debruçou-se sobre o assunto e labutou por anos a fio, vislumbrando debelar os problemas relacionados com a organização criminosa em pauta, não somente aplicando os recursos previstos na Lei Penal vigente, mas procurando estudar a sua gênese, com o objetivo de, como de fato o fez, oferecer o conhecimento necessário para auxiliar no encontro de caminhos eficientes para extinguir esse mal que aflige a sociedade.

A proposta desta empreitada atinge o seu objetivo em todos os sentidos, prende o leitor em suas páginas, pois expõe com riqueza de detalhes confiáveis uma história que se iniciou no fim do século passado e, ainda, não se esgotou.

Aproveite a leitura.

Ruy Ferraz Fontes
Delegado-Geral de Polícia

APRESENTAÇÃO II

Sinto-me honrada em falar de *Laços de Sangue*, do autor Marcio Christino, de vasta experiência na área criminal, que conheço desde a época em que, na condição de juíza corregedora de 2001 a 2007, atuava ele como promotor do Grupo de Atuação Especial Contra o Crime Organizado (Gaeco) e do Grupo de Controle Externo da Atividade Policial.

O autor tem em seu currículo a investigação contra a facção criminosa Primeiro Comando da Capital (PCC), quando o Estado de São Paulo se negava, apesar de todas as evidências, a reconhecer a existência de uma verdadeira organização de inegáveis poder e alcance no exercício de atividades ilícitas. E como omitiu-se ao longo do tempo, não controlando os presídios nem reprimindo o tráfico de drogas com inteligência, o Estado tem sérias dificuldades para enfrentar o problema atualmente.

Hoje, passados mais de dez anos dos sempre lembrados ataques do PCC contra agentes da lei, a organização expandiu seus limites territoriais e diversificou suas receitas, espalhou-se por praticamente todos os estados brasileiros e alcança inclusive outros países, como Argentina, Peru, Colômbia e Venezuela, e rivaliza, senão supera, a repressão estatal quanto ao seu poder de fogo.

Esta obra, vindo a público em momento extremamente oportuno, se mostra de grande utilidade para aqueles profissionais da área jurídica e – por que não – leigos interessados em se aprofundar na matéria, fazendo um apanhado histórico e um estudo aprofundado do nascimento e crescimento da organização criminosa, além de sugerir e explicitar os meios de ação para que possamos lidar com essa realidade, sempre dentro dos estritos limites legais e constitucionais que deveriam balizar a conduta dos agentes públicos.

Ivana David
Juíza do Tribunal de Justiça de São Paulo

PRÓLOGO

BATISMO DE SANGUE

Quando foi aberta a vigia – um pequeno retângulo recortado em uma chapa de metal que funcionava como um portão –, o par de olhos do agente penitenciário dirigiu-se para a quadra. Antigamente, devia ter sido pintada com as devidas linhas para um jogo de futebol. Mas, agora, mal sugere qualquer sinal das antigas demarcações: o piso se resume a um cinza cimentado, desgastado, cor de algodão sujo.

Já estavam ali posicionados, se tanto, meia dúzia de presos. Todos perigosos e mal-encarados – o que não era novidade em um presídio conhecido como reservado aos piores criminosos dentro do panteão dos maiores criminosos.

Era o "Piranhão", a Casa de Custódia e Tratamento de Taubaté. O apelido do lugar deriva do fato de que quase todos ali se envolveram na morte de outros detentos (aqueles presos matavam outros presos como se fossem piranhas).

Depois de estudar detidamente a cena da partida de futebol, o agente concluiu, tempestivamente, que nada ali ia pelo caminho da anormalidade.

Mas atrás dele, esperando a porta se abrir, estavam os cabeças de uma das quadrilhas mais perigosas do sistema prisional, liderada por dois homens corpulentos: Baiano Severo e Garcia. Atarracados e com fama de homens de gatilho fácil, já haviam mandado executar outros presos.

Entediados, aguardavam o portão se abrir para o sol. Atrás deles, outros comparsas, não menos entediados, bufavam contidamente.

O portão se abriu e, por serem os chefes, Severo e Garcia saíram primeiro. Arrebatados pelo sol, que já ia alto, por alguns segundos piscaram para se acostumar à claridade da quase liberdade. E começaram a andar para o centro da quadra, com passos medidos. Lá já estavam outros oito presos. À frente deles, um indivíduo negro e robusto, com quase dois metros de altura. Garcia e Severo pararam à sua frente e a quadrilha atrás deles passou a gritar:

– É xaveco, é xaveco – eles recuaram para trás do portão, que foi imediatamente travado pelo agente penitenciário, deixando Severo e Garcia na quadra.

Geleião, o negro alto e forte, agarrou Garcia pela cabeça e com um gesto quebrou seu pescoço como se quebrasse um graveto. Foi apenas um estalo surdo, e o corpo morto caiu ao chão, desmilinguido como uma manga vencida. Os outros sete detentos cercaram Severo. Ele sabia o que ia acontecer.

O grupo de sete fez uma roda irregular, ativa, que ia se fechando mais e mais enquanto Severo era golpeado até a morte. Incertos, os golpes lhe acertavam por todas as juntas.

Sentado sobre o corpo inerte de Garcia, Geleião olhava a ação do grupo. Seguia entediado enquanto tragava seu cigarro – algo fora das regras, já que num presídio de segurança máxima não era permitido fumar no pátio. Temia-se que um preso usasse o cigarro para queimar o outro. Cesinha reclamou com ele. Afinal, Garcia havia morrido rápido demais, sem tempo de "zoada". Esse tipo de coreografia, ali, era inusual: corpos, antes de darem o último suspiro, devem tecer um balé bizarro, desconjuntando-se como um boneco de trapo na boca de um cão. Deixaram os corpos caídos e foram para o centro da quadra. Sabiam o que viria depois.

O agente penitenciário, sem entender o que estava acontecendo, olhou de novo pela vigia da porta. Seu medo era que arquitetassem uma fuga. Mas o que viu o convenceu de que era mais um acerto de contas.

Nesse minuto, os comparsas de Severo e Garcia se entreolharam e ficaram quietos. O agente então passou a usar o apito que trazia para alertar os demais vigias. E todos se precipitaram para o local.

Na sala, o diretor do presídio, Ismael Pedrosa, era assaltado por algumas recordações que lhe imputavam um sereno orgulho: afinal, ele fora o primeiro e único diretor da Casa de Custódia e Tratamento de Taubaté (CCT), e fazia questão de deixar isso evidente. Quando ouviu os apitos, ele se levantou de sobressalto com a mesma ideia do agente na cabeça: fuga.

Abriu a porta e desceu correndo, cruzou com o agente e perguntou:
– Que foi? Que foi?
– Mataram o Baiano e o Garcia – foi a resposta.
– Quem?
– O pessoal do futebol.
– Que pessoal do futebol, caralho?
– O pessoal do time, do PCC.

Pedrosa sabia de quem estavam falando.

Quando abriram o portão da quadra, entraram os agentes penitenciários à frente, e depois Pedrosa. Encontraram os sete detentos parados, de pé, no meio da quadra. Como um batalhão, usavam as mesmas camisas brancas, com as mangas retiradas no muque e que traziam no peito uma sigla escrita a caneta: PCC.

A partir desse momento, na quadra cinza, sob o sol, eles seriam conhecidos como os "Fundadores" e respeitados como os líderes máximos de uma facção reinada pela violência, corrupção e intriga.

Os "Fundadores" sempre atacavam em superioridade numérica sobre as vítimas – sua marca registrada. Como aconteceu nessa ação e em tantas outras que vão aparecer neste livro.

A cena seria repetida como uma boa lição a ser legada. Em 8 de julho de 1996, em Taubaté, não foi diferente. Cesinha, Misael e pelo menos mais três detentos, dentre estes Carlos Luciano e Júlio César Guedes de

Moraes, o Julinho Carambola, tentaram matar o preso Francisco Aguiar Ferreira.

Misael jogou Francisco no chão e o imobilizou para que Cesinha, com uma gilete, lhe cortasse a jugular. Depois que Francisco começou a sangrar, pensaram que ele estava morto; eles se encostaram na parede, levantaram as mãos e se entregaram, seguindo o protocolo de detenção.

O interessante nessa hora é que Ademar dos Santos, o Da Fé, mais um do grupo dos "Fundadores", estava lá também, mas não se envolveu na ação – ele simplesmente ficou olhando, como se examinasse ou fosse aprovar a conduta dos demais.

Os oito fundadores que em 1993 mataram Garcia e Severo, devidamente condenados em razão disso, negaram o crime. O único que admitiu, como sempre fazia, foi Cesinha.

César Augusto Roriz Silva, o Cesinha, tinha preferência por assalto a bancos. Cometeu vários assaltos desse tipo em 1986, dois deles em 30 de janeiro e em 22 de fevereiro – ele e um comparsa renderam um vigilante. O comparsa de Cesinha nesses roubos era nada mais, nada menos do que Marcos Willians Herbas Camacho, o Marcola. Desde 1986, portanto, Marcola mantinha uma relação de compadrio com Cesinha dentro do sistema penitenciário.

E assim começa nossa história.

CAPÍTULO 1

O OVO DA SERPENTE

É possível identificar as ações que já indicavam o surgimento do PCC dois anos antes da fatídica data de 31 de agosto de 1993, dia em que estourou uma grande rebelião em Taubaté. Isso porque, quando assumiram tal denominação, na CCT daquela cidade, apenas consolidaram algo que os presos organizados já vinham arquitetando há tempos e colocando paulatinamente em prática em ações aqui e acolá.

Em 11 de março de 1991, Cesinha e Isaías Moreira do Nascimento, o Isaías Esquisito (ambos "Fundadores), partilhavam a mesma cela no presídio de Avaré. Durante o banho de sol, escureceu e começou a chover. Os agentes, então, começaram a recolher os presos. Cesinha e Isaías Esquisito aproveitaram essa debandada para se aproximarem de outro detento, chamado Amaury Donizete, o Rato, que estava ainda reunido com seu grupo. Depois de uma acalorada discussão, com algumas palavras duras, Cesinha sacou um estilete e esfaqueou Amaury Rato, que tentou se defender. Houve intervenção dos agentes e ele foi retirado do pátio ainda vivo, mas acabou morrendo posteriormente – nessa época, o diretor do presídio era Lourival Gomes (que depois se tornou secretário da Administração Penitenciária).

Cesinha sempre teve como característica assumir o que fazia, por isso tinha o respeito dos demais presos. Ao se justificar, ele disse que houve uma briga durante um jogo de futebol com troca de ofensas e, em decorrência dessa discussão, ele e Isaías Esquisito foram para cima de Rato para se vingarem e simplesmente o mataram – mesmo discurso depois usado para iniciar a rebelião de 1993 e em outras ações de vingança por outros comparsas de Cesinha, entre eles Isaías Esquisito e Zé Márcio Felício, revelando já haver um padrão, a existência de uma articulação coordenada, quer dizer, já haver indícios de que uma organização estava ocorrendo.

Havia a possibilidade de que, naquela época, em 1993, eles provavelmente já tivessem o domínio de alguns presídios, já que a ocorrência dessas vinganças por causa de discussão no futebol, como forma de eliminar outras lideranças, começou a se tornar mais constante nas penitenciárias, fruto da movimentação dos presos de um presídio para outro – em razão de pedidos ou de suborno. O curioso é que já havia uma estratégia de discurso para justificar essas eliminações de modo a não levantar suspeitas sobre uma provável dominação dos presídios paulistas por uma só facção.

Como se vê, o PCC não nasceu em 1993 e em seguida se espalhou de maneira imediata, mas foi nesse ano que se consolidou o controle da Casa de Custódia e Tratamento de Taubaté, o mais duro dos presídios, onde o Estado era mais presente.

A ação que matou Severo e Garcia por causa de "desavenças no futebol" não foi por acaso. Aquilo era um time, mas não tinha nada a ver com o esporte paixão nacional. Era, isso sim, uma equipe montada para conquistar poder dentro do presídio.

Após a rebelião que se seguiu à data da fundação da organização, muitos de seus "Fundadores" foram removidos para o coração do sistema, a Casa de Detenção, popularmente chamada de Carandiru – essa ação estruturou mais ainda o PCC, já que seus alicerces, os "Fundadores", estavam juntos.

De qualquer forma, esses "Fundadores" já tinham feito um caminho dentro do sistema penitenciário. Quer dizer, não procede pensar que de repente esses presos se uniram fortemente. Na verdade, essa união foi resultado de um longo planejamento que culminou com a tomada de Taubaté com um levante de detentos sob o comando dos "Fundadores". Os presos do interior se julgavam melhores do que aqueles que ficavam na Casa de Detenção da capital, onde as condições eram piores. Algo como presidiários de segunda categoria.

Marcio Sergio Christino e Claudio Tognolli

CAPÍTULO 2

DE VOLTA AO BATISMO DE SANGUE

Tudo teve início em Taubaté, no interior paulista. Era onde estava o Piranhão, a Casa de Custódia e Tratamento, que não era bem um presídio. Em tese, funcionava mais como um hospital psiquiátrico, onde ficavam contidos os insanos, os loucos. Só que, com o tempo, o governo do Estado de São Paulo acabou criando ali uma unidade prisional que faria a contenção de presos considerados de máxima periculosidade.

É possível ver seus muros altos, seu enorme portão de madeira pintado de cinza, não de ferro – algo exótico para os padrões de segurança pública – e sua vigia minguada. Afinal, não era para ser um presídio, mas sim um hospital.

O ar é docemente lúgubre. Entra-se, vê-se que foi ampliado às pressas e passa a ter o formato de um pequeno presídio. À direita e à esquerda há dois escritórios, algumas dependências, e vê-se a ala médica em que ficam os doentes psiquiátricos.

O presídio brota na paisagem, totalitário, depois de uma série de grades, de obstáculos e de várias medidas de segurança, nem tantas, nem tamanhas.

Isolavam-se ali todos os que eram considerados como "piranhas". Foi nesse ambiente que tudo começou.

Estava preso no Piranhão o José Márcio Felício, o Geleião, grande idealizador do PCC. É certo que ele já trazia na cabeça todo o DNA do grupo, estruturado a partir de sua história pregressa voltada para o crime. Com ele também estavam os demais detentos que formariam o grupo de "Fundadores" da facção. A junção dos bandidos mais perigosos num lugar só nunca deu certo e, no Brasil, adubou as grandes organizações criminosas.

Foi na CCT de Taubaté, considerada o pior presídio de todos, que Geleião encontrou seu bioma preferido. Lá, ele tinha um apelido secreto que ninguém sabia: chamavam-no de Cavalo Branco, embora fosse negro, forte e tinha quase dois metros de altura. Na CCT ele reencontrou o César Augusto Roriz Silva, o Cesinha, dono igualmente de um apelido que ninguém conhecia: Exu ou Exuzinho. Viviam rodeados de seis amigos, todos de altíssima periculosidade, briguentos e extremamente violentos. Davam facadas como quem dá bom-dia. Na cabeça de todos eles, a mesma ideia: conseguir o domínio do sistema penitenciário. Seria ali o *grand début*.

O time de futebol PCC planejou matar os detentos Baiano Severo e Garcia, líderes de quadrilha e fortíssimos no sistema. Se o fizessem, consolidariam a existência do PCC.

Geleião admitiu que, depois de ter matado os dois, o grupo se reuniu e decretou que era o momento de selar e fundar a organização: "Agora nós vamos fundar".

***

O dia 31 de agosto de 1993, data das mortes e da fundação do PCC, traz algumas peculiaridades que talvez os "Fundadores" nem tenham se dado conta. "É o dia que nunca deveria ter existido", dizem os alfarrábios. Porque o dia 31 de agosto só foi criado para equivaler a 31 de julho. Julho tem esse nome por causa do imperador romano Júlio César e tem 31 dias. Agosto tem esse nome por causa do imperador romano Augusto e tinha 30 dias. Como pode um imperador ter mais dias que o outro? A solução foi simples: colocaram 31 dias nos dois. A data prenuncia conflitos. Na verdade, esse não foi de fato o primeiro dia do PCC.

A data de surgimento do PCC já fora imaginariamente parida a fórceps bem antes. Mas foi naquele fatídico dia de agosto que se consolidou como o de sua fundação, com a devida meta singularmente alcançada: matar quem lhes atravessasse o caminho no que pretendiam, ou seja, dominar o sistema prisional. A lógica penitenciária era rasa.

Prendiam dez caras que assaltavam banco e os colocavam na Casa de Detenção, atulhados e assimetricamente conectados. Eles então reproduziam no sistema o bando que tinham na rua.

***

Vários bandos tentaram a sorte na organização. Começaram a aparecer os tais Serpentes Negras, um fenômeno muito fugaz e ocasional, já que não tinham planejamento, muito menos consciência do sistema prisional. Eram como quadrilhas. Só isso. Não uma facção criminosa.

LUCKY LUCIANO BRASILEIRO

Há atores em papéis principais. Geleião, por exemplo, é um indivíduo de uma capacidade física muito grande e está preso desde os 18 anos. Segue preso em razão dos inúmeros crimes cometidos dentro do próprio sistema prisional. Jamais conheceu as ruas depois de encontrar as grades. Dispõe de pouca ou nenhuma noção do que é a vida fora do presídio, onde passou por reveses singularmente violentos: inúmeras vezes torturado, espancado, submetido a diversos tipos de sevícia.

A própria questão de Taubaté era complicada, dizem aqueles que lá estavam e que, dia sim, dia não, ou uma vez a cada três dias, eram espancados a golpes de cano de ferro.

A escalada de violência era fato, uma vez que as autoridades reconheceram o que verberava José Márcio Felício, o famoso Geleião.

Ele concordou em fazer um exame médico neurológico que depois confirmou a existência de lesões no cérebro, fruto de golpes e espancamentos.

Outro detento que também apresentava sequelas de violência e estava em Taubaté era Sandro Henrique da Silva Santos, o Gulu, que viria a ter um papel fundamental na evolução da organização criminosa. Ele tinha os ossos dos ombros deslocados de tanto ser "mimoseado" com golpes de ferro.

Todos eles narravam, com estranha naturalidade, essas formas de maus-tratos sofridas na prisão. O Zé Márcio também. Só que sua cabeça guardava uma organização de pensamentos mais elaborada que a dos colegas, que só pareciam repetir uma ladainha. Ele teve uma intuição parecida com a de Salvatore Lucania (1897-1962), mais conhecido como Charles "Lucky" Luciano, que criou o primeiro sindicato do crime nos Estados Unidos e depois na Sicília. E, assim, Geleião juntou todo mundo em seu xadrez imaginário, erigido com peças de carne, osso e sangue derramado.

José Márcio teve uma ideia que não era a mesma concepção do italiano mafioso, mas bem parecida. "Vamos juntar as lideranças aqui e fazer uma organização a partir da qual nós vamos dominar tudo", teria dito ele, que foi o *pater* da sigla PCC.

Numa reunião, às vésperas de um jogo de futebol e para decidir o nome do time, que seria também o nome do grupo, estabeleceu:

– Ah, tem o Comando Vermelho, Comando isso, Comando aquilo... Põe o Primeiro Comando da Capital.

José Márcio foi então falar com José Ismael Pedrosa, o diretor de Taubaté:

– Nós queremos montar um time de futebol. Queremos fazer um campeonato.

Era o ano de 1993 e Taubaté já vinha sofrendo críticas sobre a sua administração. Pedrosa, então, pensou: "A Casa de Custódia vai aliviar um pouco as más avaliações". E acabou autorizando a realização do tal campeonato de futebol, supondo-o um ícone de paz e bem-aventurança penitenciária.

O que havia por trás do campeonato? Havia outra história. Na CCT existiam duas alas. O acerto do Geleião era conseguir um acordo de cooperação para a tomada de controle dos presídios com todos da sua ala. Mas da outra ala, que ficava do outro lado, ele não conseguiu nada, isto é, não conseguiu persuadir as lideranças a seguirem seus objetivos. E quem eram essas lideranças? Baiano Severo e Garcia. Eles se opunham a essa liderança do José Márcio porque não queriam ceder. Em nada. Mais ainda, haviam mandado matar um amigo de José Márcio, conhecido como Arão, na Penitenciária de Guarulhos. Para isso não havia perdão.

Para a realização do tal campeonato de futebol, dividiram os times em alas, ou seja, a Ala 1 ia ter seus times, assim como a Ala 2. E, pela dinâmica do certame, o time de uma jogaria contra o time da outra. Engenhoso. Já, já eles iam passar pelos controles da penitenciária para irem jogar na quadra. E quando chegasse a hora de jogar, o plano era eliminar a concorrência, e ao assumir a liderança da outra ala, iriam controlar o presídio inteiro. Teria dado certo se Baiano Severo e Garcia tivessem entrado num dos times. Mas eles, que não eram trouxas, ficaram do lado de fora apenas observando os jogos.

O campeonato começou, e o time do PCC foi acumulando vitórias, até porque Geleião, além de enorme, tinha o poder de mandar marcar cinco pênaltis a favor de sua equipe e acabava com a brincadeira. Apesar de ganharem os jogos, não teriam o troféu almejado, já que, em quadra, não conseguiriam cruzar com Baiano e Garcia.

Pensaram então numa solução alternativa: quem ia jogar fazia o banho de sol antes, jogava, depois se recolhia, ou o contrário. E quem não ia jogar se encaminhava direto para o banho de sol e assistia aos jogos.

Assim, no dia 31 de agosto, o grupo de Geleião se encaminhou à quadra bem na hora de montar os times para jogar. Porém um deles, o Marqueta, virou-se para o agente penitenciário e disparou:

– Hoje nós não vamos jogar. Hoje não vai ter jogo. A gente sai no sol, normal.

Ou seja, eles organizaram a situação de maneira a tomarem sol bem no horário de Garcia e de Baiano Severo, que regularmente saíam em horários diferentes por questões óbvias de segurança.

Quando a porta se abriu e Baiano Severo, Garcia e a turma deles entraram na quadra e viram José Márcio, Cesinha e seus comparsas todos ali, tomaram um choque.

Dessa forma foram liberados dentro do pátio os dois grupos que eram inimigos figadais dentro da CCT de Taubaté. Só que a turma de Baiano Severo e de Garcia não encarou a responsabilidade de formar com seus líderes e recuou, deixando os dois sozinhos para enfrentar o "time" de Geleião e companhia.

Não se sabe se isso já estava combinado ou se voltaram porque não iam encarar Geleião, uma figura atemorizadora. Geleião chegava a fazer mil flexões por dia – se trabalhado com afinco, poderia ser atleta olímpico.

Quando o agente penitenciário notou a iminente confusão, fechou a porta. Por medo ou não, num ambiente desses sabe-se que qualquer suspiro pode ser maquiavelicamente encarado como uma provocação que renderá represálias.

Quando José Márcio chegou perto de Baiano Severo, envolveu a cabeça do adversário com as duas enormes mãos e, como quem alisa uma bola, matou com um movimento só, que talvez tenha durado dois segundos. Quebrou-lhe o pescoço instantaneamente. Foi a deixa para que os outros sete que estavam na quadra fossem para cima de Garcia. Primeiro o time fechou-se em um círculo ao seu redor – a única chance que tinha era romper o círculo e tentar se manter vivo até que os agentes penitenciários chegassem. Ele foi para cima dos adversários com tudo, mas aqueles não eram presos novatos. Começou a ser golpeado de todos os lados, não suportou, caiu e foi massacrado.

"Por que você matou ele logo assim? Não deu nem pra zoar!", reclamavam os companheiros a Geleião. O líder parou de fumar seu cigarro e os organizou no centro da quadra, vestindo suas camisas brancas rabiscadas a caneta com as letras PCC.

– Agora é nóis – disse.

Depois vieram os agentes penitenciários e levaram todos para o isolamento total: José Márcio Felício, o Geleião ou Cavalo Branco; César Augusto Roriz Silva, o Cesinha, Exu ou Exuzinho; Ademar dos Santos, o Da Fé; Antônio Carlos dos Santos, o Bicho Feio; Wander Eduardo Ferreira, o Du Cara Gorda ou Wandão; Isaías Moreira do Nascimento, o Isaías Esquisito; Misael Aparecido da Silva, o Misa; e José Epifânio Pereira, o Zé Cachorro – o único ainda vivo durante a confecção deste livro era o José Márcio.

Nenhum deles foi espancado, mas foram arrastados para as celas – que já eram solitárias. Apesar de terem ido para o isolamento, a ação havia sido um sucesso, pois eles tinham o domínio do presídio. Todos os presos os obedeciam, mas, agora, não como uma quadrilha. Dominaram as duas alas, os dois lados do complexo, tomaram conta daquilo, viraram donos da Casa de Custódia e Tratamento, que era o presídio mais seguro que São Paulo (e, reconheçamos, o Brasil) tinha na época.

Com o isolamento dos líderes, a reação que se sucedeu já era prevista. De uma cela para outra, e pela primeira vez nas duas alas, a gritaria foi começando: "É para virar, é para virar". "Virar" em um presídio de segurança máxima daquele tipo é um conceito bem restrito – significava quebrar tudo que podiam dentro da cela: pia, mesa, cama, que era de alvenaria, espatifando o que podiam. Até os ralos eram quebrados. Os pedaços de tudo que conseguiam quebrar eram usados para bater nas portas de ferro, causando uma barulheira enorme que podia ser ouvida de longe. Parece tolice, afinal, quem se prejudicaria seriam os próprios detentos – basta estar lá para verificar que esse tipo de reação causa temor e insegurança, principalmente porque transmite a sensação de que aquelas portas parecem não ser suficientes para conter o ímpeto dos amotinados.

A reação continuou: bateram nas portas, chutaram, gritaram alaridos singularmente aterrorizantes e aterrorizados sem parar durante a noite, para provocar a vizinhança.

Quebraram todas as celas e, num determinado momento, Geleião conseguiu, com a mão e pedaços de metal, cavar a parede de uma cela para outra e passou pelo buraco. Sua cela ficou vazia.

A situação ficou insustentável. O diretor Pedrosa percebeu que o time do PCC estava dando as cartas. Não havia outra solução; a Polícia Militar foi acionada, até porque, se isso não fosse feito, a vizinhança acabaria por fazê-lo – só para lembrar, a Casa de Custódia e Tratamento ficava no perímetro urbano de Taubaté.

Então apareceu o Batalhão de Choque para controlar a situação; entrou nas celas, retirando os presos que eram encaminhados para o pátio, onde estavam também os agentes penitenciários. Os PMs invadiram a cela de Geleião e, para surpresa deles, a encontraram vazia e com buraco na parece. Eles foram à cela vizinha destruída e lá estava ele, em meio aos escombros.

É importante dizer que Marcola, naquele dia, que não integrava a facção, apenas quebrou o ralo da cela e manteve-se discretamente quieto, segundo palavras do próprio José Márcio Felício. Depois de todo o rebuliço e com medo da repercussão, o diretor Pedrosa chamou o corregedor da Administração Penitenciária. Pedrosa não queria mais problemas e quis fazer um acordo com os amotinados.

Geleião foi o interlocutor natural dos presos, que lhe deram o status de líder. O pedido foi simples, sem "esculacho": os prisioneiros não seriam obrigados a ficar nus, se abaixar exibindo-se para os agentes penitenciários, o que consideravam uma humilhação desnecessária. O corregedor e Pedrosa concordaram, nada demais tal pedido para eles. Quando estes foram embora, o chefe dos agentes penitenciários mandou que os presos tirassem a roupa e se abaixassem. Começou uma gritaria geral. Cobraram Geleião: "E agora? Vai ficar assim?". De um lado os presos e do outro os agentes penitenciários e um grupo do batalhão de choque da PM. É claro que não ia ficar assim; os presos avançaram com Geleião à frente e surpreenderam tanto o Choque quanto os agentes penitenciários, que nem sonhavam com uma ação coordenada dos presos – isso nunca tinha acontecido.

Assim, no primeiro confronto entre PCC e PMs e agentes penitenciários deu PCC, que forçou o recuo da tropa e dos agentes para a entrada do presídio. É claro que depois a PM se reorganizou e contra--atacou, dominando a situação. Porém essa ofensiva só ocorreu em 1º de setembro de 1993, mas já então perdida a moral da PM.

Depois da rebelião, a Casa de Custódia e Tratamento foi esvaziada, só permanecendo Geleião e sua trupe. Mas só por algum tempo, pois logo o presídio começou a crescer novamente com a vinda de outros presos. Aí o comentário era geral: "Esses foram os caras que dominaram a Casa de Custódia e Tratamento!".

***

Tudo fora muito bem planejado. Logo após a rebelião, eles elaboraram o estatuto do grupo, finalizado por Misael. O documento determinou que "Irmão não mata irmão. Irmão não explora irmão. Os 'Fundadores' são os chefes".

O estatuto deixou bem claro que o PCC era uma facção, não uma quadrilha que explora aqueles que não têm organização.

Também incluíram um importante item no estatuto: "Você não vai mais ser explorado. Se alguém mexer com você, vai mexer comigo". E implicitamente estava o aviso: "Olha o que nós fizemos na CCT (Casa de Custódia e Tratamento)".

O conjunto de normas saiu principalmente das cabeças de José Márcio e de Cesinha. Podiam não ter cultura, mas eram muito inteligentes, entendiam bem a natureza humana. Exemplos de darwinismo social puro.

Esse estatuto fez a diferença porque passou a dar corpo à massa disforme. A ideia deles era usar a organização para praticar crimes, mas poderiam ter formado o grupo para defender os interesses deles sem precisar matar os outros presos – o caminho que eles seguiram depois mostra claramente o contrário.

A facção então começou a agir. Quando encontravam alguma oposição, matavam sem pudor ou hesitação. E essa era a primeira opção, só negociavam se não conseguissem exterminar o adversário brutalmente.

Nenhuma dessas execuções acontecia em razão de superlotação carcerária, de exploração. A morte acontecia porque determinada pessoa não queria fazer parte da facção ou era contra ela. Eles precisavam dominar o presídio a laços de sangue.

Uma cena marcante, especificamente, ocorreu quando Bicho Feio e Cesinha mataram um adversário em Taubaté. Estavam no pátio e derrubaram um preso no chão; enquanto o Bicho Feio segurava-lhe os braços, Cesinha pegou uma gilete e cortou a jugular do sujeito. O rival quase morreu de hemorragia, esvaindo-se em sangue, mas foi salvo por pouco; pensaram que morreria, porém foi levado ao hospital e se recuperou.

Toda vez que mortes ou tentativas de assassinato como essa aconteciam, esvaziavam a CCT. Mas, quando ela voltava a receber presos, a situação se repetia. Assim, Pedrosa resolveu fazer um acordo com a facção: se ficassem um tempo quietos, os devolveria ao sistema prisional, quer dizer, sairiam dali para outros presídios, porque já eram o que se denominava de "considerados". Mataram um, dois, mataram vários. Nunca se saberá o número certo de executados pelo PCC. O acordo foi selado e cumprido. Quando chegaram à Casa de Detenção, quem estava à frente do grupo não era Geleião, mas, sim, Cesinha. Geleião fora mandado para outro presídio.

CAPÍTULO 3

O DOMINGO NEGRO

Na Casa de Detenção, o Carandiru, o PCC subiu ao pódio no Domingo Negro, em 23 de julho de 1995, no Pavilhão III, às 15h20, uma data marcada a sangue. Um local enorme, com muitas quadrilhas armagedonicamente aninhadas.

Quando um núcleo do PCC chegou ao presídio, logo formou um grupo com 15 pessoas e partiu para a dominação do local. Mas viram que não seria fácil, que teriam de se impor frente a uma das quadrilhas que dominavam uma área da Casa de Detenção, de preferência uma que explorasse outros presos. O que pretendiam fazer, na verdade, era eliminá-la, mostrando seu poder.

Um dos presos do lugar, Paulinho Perereca, se aliou a eles porque tinha dívida com uma quadrilha e pressentiu que, com o PCC, poderia obter proteção. Ele avisou a Cesinha:

– As outras quadrilhas vão vir para cima de vocês. Preparem-se porque vai ter bode. E assim aconteceu.

Para realizar o ataque foi quebrada uma regra que nunca havia sido rompida até então, a da visita: "Não se mata ninguém em dia de visita".

No dia programado, determinaram o encerramento das visitas mais cedo e mandaram todo mundo embora.

A Casa de Detenção possuía uma escadaria para subir aos pavilhões. Foram até ao, digamos, hall de escada, todos armados com facões e espetos feitos artesanalmente com os ferros das paredes, e esperaram os presos da outra quadrilha subirem desprevenidos. Separaram os líderes dos demais e os mataram – na verdade, quase os esquartejaram.

Ao fazerem isso, tomaram para si a liderança da Casa de Detenção. Ali estavam, além de Cesinha, indivíduos conhecidos pela intensa periculosidade: Júlio César Guedes de Moraes, o Carambola – que depois seria o principal aliado de Marcola –, Edmir Voletti, Sandro Henrique da Silva Santos, o Gulu – que viria a ser uma importante liderança.

Depois de executarem os três líderes das quadrilhas rivais – Walter Pinto de Magalhães, Edivaldo Rodrigues da Silva e Adélio Luís Salício –, Cesinha voltou-se para Paulinho Perereca, que era estelionatário contumaz, mas nunca dera uma facada na vida, e disse:

– Agora é sua vez – colocando um espeto em sua mão.

Perereca hesitou, não tinha coragem, mas recebeu um "incentivo" dos demais, que lhe disseram: "Ou você faz ou fazemos você", num claro recado de que ou ele matava o adversário da turma, ou seria morto. Perereca deu uma estocada, depois outra, depois outra, enquanto os demais riam e comemoravam. Perereca chegou a sair vivo da penitenciária, mas nunca mais foi visto e, ao que parece, deixou o mundo do crime.

Depois dessa ação, ficou mais fácil dominar o presídio e ninguém mais tentou se impor – por falta de vontade, de coragem ou interesse, e as razões ficaram muito claras, porque a movimentação dentro da Casa, que era livre, se tornou controlada, dada a expansão do grupo.

Como se vê, o movimento de expansão do PCC se deu do interior para a capital e não o contrário, como muitos afirmam. Havia muita rivalidade entre a Casa de Detenção e os presídios do interior, que nem eram tantos. O espaço na Casa de Detenção era disputado e havia várias quadrilhas que se revezavam no controle de pontos específicos do presídio. Já no interior do Estado, tudo era mais fácil. E quando o PCC se sentiu forte o suficiente, voltou seus olhos para o que seria o alvo principal.

Na época do Domingo Negro ninguém entendeu ou percebeu o que acontecia, até porque a mudança de comando entre as quadrilhas era algo comum. Esse foi um descuido que custou caro ao Estado.

Seja como for, o Domingo Negro passou e ninguém teve a mínima visão do que realmente acontecera, que não fora uma simples briga de quadrilha, mas, sim, uma tomada de poder, quase um "Golpe de Estado" no sistema que existia antes e que foi ali substituído por uma nova realidade. Tanto que, pouco tempo depois, todo o espaço da penitenciária já era dominado pelo PCC. O tempo das muitas quadrilhas tinha passado.

***

Todos os 15 membros do PCC foram denunciados, processados, condenados por homicídio qualificado em razão do recurso que impossibilitou a defesa da vítima, afinal, 15 contra três não era um placar muito favorável para as vítimas. Muito embora o lema "Paz, Justiça e Liberdade" tenha sido entoado depois, a verdade é que as mortes comandadas dentro do sistema sempre foram covardes, assim como continuam sendo até hoje.

E nunca ninguém desconfiou das razões daquelas mortes – continuaria assim até hoje se Geleião e Cesinha não as tivessem explicado quase dez anos depois.

No dia das mortes, levados para a delegacia para serem autuados em flagrante, eles apresentaram uma versão semelhante, dizendo que os três executados – todos reconhecidos como sendo de altíssima periculosidade, com extenso prontuário criminal – estavam exigindo dos presos que estes determinassem a seus parentes que trouxessem para eles cigarros, tênis, objetos que eles simplesmente tomavam para si e quem não fizesse isso, quem não pagasse o pedágio imposto por eles, era "arrepiado", ou seja, morto.

Cesinha fez a seguinte declaração: "Os três mortos estavam querendo dominar os demais presos, motivo pelo qual precisaram ser exterminados". Esse depoimento consta no auto de prisão em flagrante.

Nesse ponto o Domingo Negro trouxe os demais presos para perto daquele núcleo inicial do PCC, porque aqueles que se entregassem ao grupo que eles representavam ficariam imunes às exigências de outros presos que eventualmente os dominassem. Eles impuseram essa ideia e com ela conquistaram a Casa de Detenção e superaram uma rivalidade que existia entre os presos da Casa de Detenção e os presos do interior.

A ação teve uma repercussão muito grande entre os detentos e se tornou o principal fato que levou o PCC a dominar por completo a Casa de Detenção. A facção unificou todos numa entidade só. Coisa que ninguém tinha feito.

Teria havido conivência, teriam sido subestimados ou a ação teria sido consentida como medida de controle, já que era mais fácil para a Administração Penitenciária lidar com eles do que com diversos grupos? Ou, ainda, esperavam descartá-los depois que tivessem feito a limpeza das quadrilhas? Nunca se saberá. Naquela época, esse tipo de informação ficava sempre dentro dos muros do sistema prisional. Num ambiente desses, geralmente seus ocupantes e atuantes são adeptos, por motivos óbvios, "do quanto menos se sabe, melhor".

Em meados da década de 1990, o PCC se consolidava como a maior facção dentro do sistema prisional. Em dois anos havia deixado de ser um grupo cujo poder se assentava pela tomada de Taubaté para se tornar a maior influência criminosa de São Paulo, sem qualquer resistência. Absolutamente espantoso e surpreendente.

Por causa de sua relevância dentro do sistema prisional, os líderes do PCC passaram a ser ouvidos por serem passíveis de negociação, e começaram a influenciar o sistema.

Com todo esse poder nas mãos, seria natural que fissuras acontecessem e disputas pela liderança começassem a ocorrer. Até porque uma sociedade de criminosos não é necessariamente pacífica. Entre 1998 e 1999 começam a aparecer os primeiros conflitos nesse sentido. Presos hierarquicamente abaixo de Geleião e Cesinha passam a ambicionar o trono da liderança. No início, só questionavam a possibilidade de o PCC dar certo. Quando viram que havia se consolidado, o prêmio da liderança passou a ser atrativo.

CAPÍTULO 4
A FACE DESCONHECIDA DO PCC

Wander Eduardo Ferreira, o Du Cara Gorda ou Vandão, era corpulento, bonachão e considerado extremamente perigoso. Ele e Geleião se equivaliam, até mesmo no aspecto físico possuíam o mesmo perfil. Zé Márcio confiava muito nele. Tanto assim que eles haviam combinado que, enquanto Zé Márcio iria expandir o PCC por toda a população carcerária, Du seria o encarregado de montar um grupo "de qualidade". Qualidade era o termo que eles usavam para designar indivíduos extremamente perigosos e mais preparados, que seriam usados em ações de impacto.

Sem que soubessem, eles estavam copiando uma técnica semelhante à usada na Itália pela máfia siciliana na época de Salvatore Totó Riina, que aplicou justamente essa ideia de criar um grupo de executores. O assassino mais importante desses italianos chamava-se Scarpazzeda – ele executava outros membros da máfia.

Não foram poucas as vezes que Geleião falou sobre Vandão:

– Você conhece o PCC? Se você conhece o PCC, tem que falar sobre o Cara Gorda, se você não sabe quem é o Cara Gorda, não sabe o que é o PCC – ele costumava dizer.

Além de Cesinha, talvez pouquíssimas pessoas falassem de Cara Gorda. No entanto, ele foi essencial na fundação e nos primeiros anos da facção.

A história de Du é curta, muito intensa, e teve seu desfecho em 30 de outubro de 2000 na cidade de Marília, interior de São Paulo.

Ele estava preso nessa cidade. Era reconhecido como líder por todos os presidiários. Quando ia para o meio da quadra da penitenciária, detentos ficavam ao redor para ouvi-lo falar e receber as determinações para quando estivessem soltos. Com o tempo, essa prática de reunir o grupo no meio da quadra acabou se popularizando.

Pouco antes da sua morte, Du vinha recebendo visitas diferentes, pessoas que não eram as mesmas que habitualmente iam vê-lo. Isso chamou a atenção da direção do presídio.

Logo depois dessas visitas, ele solicitou um médico dizendo que estava com dor nos rins. O diretor da instituição desconfiou do pedido porque ele não aparentava estar doente e sentiu que alguma coisa podia estar errada. Foi uma intuição do diretor, que resolveu chamar os próprios médicos do presídio.

Mas dor é uma coisa muito subjetiva. O preso gritava, reclamava das dores, e, como não havia ali nenhum equipamento para avaliar, tinham que confiar nos presos. Além de tudo, Du tinha uma cicatriz de cirurgia, de forma que os médicos não quiseram se responsabilizar e recomendaram que ele fosse mandado para o hospital público de Marília.

Mesmo com tal recomendação, o diretor ficou reticente, desconfiou e negou a permissão. Mas a situação se agravava, ele gritava mais, dizia que estava ruim e, na véspera do dia 30 de outubro, os presos ameaçaram uma rebelião se o líder deles não fosse socorrido.

Sem outra opção, o diretor teve que mandá-lo ao hospital, mas organizou uma escolta para evitar um resgate. A escolta que ele conseguiu reunir era composta de um agente penitenciário desarmado, dois policiais com revólveres calibre 38 e um terceiro com uma carAbina Puma calibre 38.

A intuição do diretor estava certa: Du e o PCC tinham montado um grupo de oito criminosos mais experientes para fazer o resgate, todos com extensa vivência prisional. Além de estar em número maior, o grupo de resgate de Du operava um armamento de capacidade superior àquele escalado para a escolta. Os criminosos tinham duas pistolas semiautomáticas, sendo uma de uso restrito das Forças Armadas, dois revólveres calibre 38, um revólver Magnum 357 de alto poder de fogo, dois fuzis calibre 7,62 mm, sendo um da marca Ruger e outro MAK-90 Sporter do mesmo calibre. Tinham também uma espingarda calibre 12 da CBC e duas metralhadoras 9 mm. Não havia possibilidade de os policiais oferecerem resistência

O planejamento para o resgate havia sido minucioso, perfeccionista. Primeiro eles escolheram um esconderijo, previamente preparado, numa chácara na saída da cidade. O local era em uma área mais isolada, onde o acesso se dava por uma estrada de terra; havia uma casa que geralmente era alugada para churrascos e festas. Um lugar sem muito acesso e com muita privacidade. No fundo dessa chácara havia um matagal muito extenso e sem muro. Ou seja, o terreno da chácara terminava no matagal.

Eles tinham também quatro carros velozes, obtidos regularmente para não chamar a atenção: um Jeep Cherokee, um Furgão Trafic, um Golf e um Vectra – carros velozes que seriam usados para invadir o hospital. O Trafic era estratégico porque, por ser um furgão, permitia que eles abrissem a porta do veículo e descessem já de pé para invadir o hospital. Portanto era um veículo para colocar os criminosos em posição de vantagem.

Eles também portavam coletes táticos à prova de balas e haviam preparado um mapa das vias de acesso ao hospital, das áreas de fuga, ou seja, os carros poderiam fugir por vias diferentes caso fosse necessário. E, especialmente, calcularam o tempo de resposta. Dificilmente alguém chamaria a polícia no meio daquela ação, em meio a uma troca tiros. O tempo que a polícia levaria para chegar seria contabilizado como tempo de fuga, até ganhar acesso à estrada de terra e poder se esconder.

Quando o grupo de resgate foi informado de que Du estava sendo levado ao hospital, isso não se sabe como aconteceu, o plano entrou em execução. Eles usaram os carros para se aproximar rápido do hospital. Quatro membros do grupo se postaram no furgão, sendo que dois deles portavam fuzis e pelo menos um empunhava uma das metralhadoras.

Ao chegar, Du foi levado para uma sala de atendimento; os dois policiais que estavam armados com revólveres ficaram um pouco antes da entrada, o agente penitenciário, mais próximo da entrada e o militar que estava com a carAbina ficou junto com o detento, no atendimento.

Os seis criminosos entraram de uma vez e a primeira coisa que fizeram foi disparar uma rajada de metralhadora nos PMs que estavam armados com revólveres e também no agente penitenciário. Já entraram atirando e mandaram todo mundo deitar no chão. De fato, os dois não tiveram como se opor, deitaram no chão e foram desarmados.

Quando os tiros foram dados, o PM abriu a porta da sala onde Du estava sendo atendido e disse:

– Mas o que está acontecendo?

– Você sabe o que está acontecendo – respondeu Du.

Foi então que ele partiu para cima do PM e os dois começaram a lutar pela posse da arma. Apesar de Du estar algemado, seu porte físico era muito bom.

Nesse momento, a porta se abriu e um dos criminosos entrou. Ele foi um dos elementos-chave nessa ação, referenciado como sendo "um negro enorme", de quase dois metros de altura. Seu porte extremamente avantajado acabou identificando-o – era Rafael dos Santos. Ele entrou na sala onde o detento estava e apontou o fuzil para o policial. Ia matá-lo, mas Du o impediu.

– Deixe quieto, deixe quieto, não faz nada – afirmou Du.

Mas, antes de sair, Santos chutou o PM que estava no chão e foram para a fuga.

Porém, eles não contaram com o imponderável. Quando os criminosos desceram da Trafic, por mera coincidência, estava passando pelo local um investigador. Eram 18h30 e o investigador estava voltando para casa. Aquele era o caminho dele. Ao ver a movimentação, concluiu que era um "resgate" e ligou diretamente para o comandante da PM.

– Olha, está havendo um resgate. Nesse momento estão entrando no hospital, é preciso tomar uma ação imediatamente.

Ele não entrou no hospital para trocar tiros até porque, sozinho, não teria nenhum resultado. Mas sua atitude foi decisiva para que a ação dos criminosos fosse desmantelada.

Ele estacionou o carro a duas quadras e passou a observar o resgate, narrando para o quartel o que acontecia. Assim, ele viu quando o Du foi tirado do hospital e para onde os carros se encaminharam.

O sargento que estava na ronda recebeu a informação de que eles estavam indo na direção norte. De um pontilhão o sargento conseguiu ver os carros em fuga. Ele contatou a viatura mais próxima do local, que iniciou a perseguição aos carros dos criminosos. Por ter uma visão privilegiada, o sargento que estava no pontilhão informou o companheiro em perseguição sobre uma estrada de terra.

Quando a viatura da PM chegou perto do comboio dos criminosos, Rafael dos Santos pôs o corpo para fora do carro, que fazia uma curva, e metralhou o carro da PM, que, abatido, encerrou sua perseguição. Mas, como era uma estrada de terra, os PMs ficaram observando o rastro de poeira provocado pelo comboio de resgate.

O reforço da PM logo chegou e as viaturas se postaram novamente em perseguição. O Golf bateu numa árvore e seu motorista saiu atirando. Na troca de tiros acabou sendo abatido pelos policiais, que seguiram os criminosos até chegar a uma encruzilhada.

Na verdade, era uma emboscada. Os PMs estavam na frente da casa refúgio do bando, que começou a atirar com seu armamento pesado. Um policial morreu. O outro conseguiu escapar, se arrastando em direção ao mato.

De repente os tiros pararam. Então o policial tentou se levantar e sentiu uma dormência nas costas. Ele havia levado um tiro de calibre 12. Os criminosos pararam de atirar porque pensaram que ele estivesse morto – dias depois esse policial se recuperou para contar a sua parte nessa história.

O tiroteio acabou chamando a atenção de mais policiais, que já estavam em alerta. A polícia correu para o local e encontraram o cabo morto. A notícia se espalhou muito rapidamente. Tanto assim que todos os tipos de polícia da região foram para o local: a militar, a civil e até a federal. A comoção foi tanta que mesmo os policiais militares que estavam de folga ou de férias pegaram a farda e foram para aquela região.

O bando de Du não teve alternativa, a não ser sair correndo pelo matagal.

O foco da perseguição era Du Cara Gorda, obviamente o chefe da operação de resgate. Ele correu pelo mato, mas, como era truculento, a corrida não era seu forte. Ele acabou cercado e, na troca de tiros, foi morto.

Rafael dos Santos usou o poder de sua metralhadora e conseguiu fugir. Ele invadiu uma casa e lá manteve uma família como refém.

Da casa ele telefonou para a esposa, que usou uma pickup S10 branca para tentar resgatá-lo.

A polícia estava em estado de alerta intenso. As vias da região foram ocupadas por policiais civis, federais e militares. Quando uma caminhonete passou pela estrada em alta velocidade, obviamente chamou a atenção dos policiais, que, espertamente, não interceptaram o veículo. Queriam ver até onde ele ia. Quando o veículo parou na casa onde estava Rafael dos Santos, a polícia fechou o cerco e ele foi preso.

Dois presos se embrenharam pelo mato e só foram sair por volta das 6h30. Mas a polícia sabia que eles estavam no mato, sabia que uma hora ou outra teriam que sair. E depois da morte do PM o cerco foi muito severo. Ninguém arredou pé de lá e esperaram eles saírem.

O primeiro, todo cheio de barro, cansado, sentou-se numa via e foi interceptado pela PM. Contou que era caminhoneiro, que havia se perdido, mas sua história não convenceu os policiais e o levaram para a prisão. Seu comparsa também apareceu na estrada, mas, quando viu a viatura chegando, temendo o que podia acontecer com ele, atirou contra a viatura e foi morto.

Mais dois saíram por outro lado do matagal, numa rua. Quando perceberam a presença da vigilância, viram que não iam poder ficar andando porque fatalmente seriam detidos. Então invadiram o quintal de uma casa, na tentativa de subirem no telhado e ficarem lá por algum tempo. Ao perceberem que não havia gente na casa, tentaram entrar retirando algumas telhas. Mas a movimentação alertou o cachorro do vizinho, que não parava de latir. Policiais em uma viatura que passava pela rua desconfiaram e acabaram encontrando os criminosos no telhado.

Houve uma breve troca de tiros e eles se entregaram. Saldo da ação: três criminosos mortos, sendo um deles o próprio Du, e um policial militar; 11 foram presos.

Foi a única morte de um "Fundador" em confronto com a polícia – todos os demais morreram por disputas dentro do presídio. Essa morte mudou a história do PCC por uma razão simples: o que ele queria era sair da prisão para liderar a facção. Considerando a sua liderança, força e inteligência, ele seria o espelho do Geleião nas ruas. O PCC se tornaria mais violento. Foi um duro golpe para o Zé Márcio Felício porque ele esperava que o Du Cara Gorda fora do presídio fizesse a articulação que ele não tinha condições de fazer. Du morreu antes de ver o PCC alcançar a força que esperavam que alcançasse. Com sua morte, seu grupo foi desmantelado e uma nova liderança surgiu.

Essa foi a história do Du Cara Gorda, aquele que se dizia ser um líder nato do PCC e um líder secreto, aquele que seria responsável por criar um "grupo de elite" dentro da organização. Se Du Cara Gorda não tivesse morrido, a história do PCC seria outra, outras lideranças, especialmente Marcola, não teriam conseguido chegar aonde chegaram, não haveria outra liderança tão forte.

Marcio Sergio Christino e Claudio Tognolli

CAPÍTULO 5

PREPARANDO A TEIA

Uma teia começou a ser tecida em 17 de dezembro de 1999, quando foi deflagrada a mais importante rebelião do sistema prisional de São Paulo, no CCT de Taubaté. Isso porque essa ação trouxe à tona uma nova liderança no PCC, a de Marcos Willians Herbas Camacho, o Marcola – e com ele ascenderam Júlio César Guedes de Moras, o Julinho Carambola, Sandro Henrique da Silva Santos, o Gulu, e Alcides Delassari, o Blindado. Os novos chefes do "PCC moderno" quebraram o maior paradigma de todos, a intocabilidade dos "Fundadores".

Três dias antes, em 14 de dezembro, o então diretor da instituição, José Ismael Pedrosa, pediu reforço da Polícia Militar sob a alegação de que facções predominavam no sistema com inúmeros seguidores e promoviam resgates durante rebeliões, inclusive em unidades prisionais de outros estados – isso consta em um relatório de ofício do próprio Ismael Pedrosa. Ele informava também as ameaças de morte e de sequestro feitas a funcionários do sistema prisional.

Esse relato deixa clara a influência do PCC em rebeliões e resgates em

São Paulo, bem como em outros estados do Brasil. Ou seja, a expansão estava em um ritmo mais acelerado do que se pensava.

Em 15 de dezembro, novamente se oficiou a Polícia Militar, informando especificamente que em 17 de dezembro, dia de visita, poderia haver uma invasão de criminosos para uma operação de resgate. A PM respondeu que não teria como manter um contingente na CCT especificamente para esse fim.

Apesar da legítima preocupação do diretor em se precaver de uma invasão, não era propriamente esse tipo de ação que ocorreria. A informação era correta no sentido de uma ocorrência, mas eles erraram na maneira como ela aconteceria.

Um preso chamado Marcos Massari prestou depoimento no presídio avisando que haveria um resgate de presos e que a fuga se daria no momento da visita. O que a direção do presídio não ficou sabendo foi que os criminosos já haviam gasto algo em torno de R$ 20 mil na época em suborno, para que fossem entregues as armas que seriam usadas na rebelião. O pacote incluía duas pistolas 6,5 mm, que foram colocadas numa caixa de bombom e entregues por um dos funcionários da CCT.

A rebelião de 17 de dezembro começou no meio da manhã de um dia tenso, já que se esperava alguma coisa. O detento Jonas Matheus se aproximou da grade e pediu para o agente Eduardo Batista abrir a porta do saguão para ir ao banheiro. Assim que o agente, acompanhado de um colega, atende à solicitação de Jonas, este saca uma pistola semiautomática calibre 6,35 mm, pequena, mas bem eficiente. Eduardo avança sobre Jonas acertando-o com um soco no rosto; o outro agente avança, mas leva um soco também e cai batendo com a cabeça no gradil. Eduardo e Jonas trocam golpes, Jonas se recupera e de arma em punho imobiliza Eduardo. O outro agente se recupera e, ao ver Eduardo rendido, resolve fugir. Jonas não mata os dois.

Mesmo com os apitos dos agentes que foram deixados próximo ao banheiro "gritando" para avisar os colegas que algo acontecia, Jonas, acompanhado de comparsas, ganhou os corredores da ala e chegou à gaiola central, de onde eles poderiam passar para o corredor que dava acesso à parte da frente do presídio. A intenção não era fugir, apesar de parecer o contrário.

Jonas pediu, então, que a porta fosse aberta, mas o diretor de divisão ali presente, Ivo Signorini (uma vez que Pedrosa estava em São Paulo nesse momento), a manteve fechada.
– Abre a grade! Abre a grade! Vô zerar, Vô zerar[1]! – ameaçou Jonas.
Ivo não se intimidou e manteve a porta gradeada fechada. Jonas apontou a arma para ele e deu um tiro. A bala passou a centímetros da cabeça de Ivo, que se retirou. Ele correu para o telefone, para chamar reforço da Polícia Militar. Porém, ao chegar ao aparelho, descobriram que a central telefônica tinha sido desligada, num claro indício de envolvimento de funcionários do presídio na ação. Foi preciso religar a central para que pudessem telefonar para a PM.

O reforço policial chegou à CCT em questão de minutos. O presídio foi cercado rapidamente por viaturas, e três oficiais da PM entraram dentro do presídio para estudar uma estratégia de confronto. Os três oficiais chegaram perto da gaiola para avaliar a situação, acompanhados dos agentes Marcos, Bira e Sales. Mesmo após os policiais os alertarem para não se aproximarem da grade, onde estavam Jonas e seu grupo, eles seguiram em frente. Nesse momento, Jonas e outro preso, Orlando Mota Junior, vulgo Macarrão – que depois se tornaria também um dos líderes da facção –, os renderam como reféns – não havia motivo aparente para os agentes terem se exposto dessa maneira, ainda mais depois da orientação da PM; então por que o fizeram? Outro indício da participação de funcionários na ação fica mais evidente ainda, pois esses reféns foram acomodados numa cela com televisão, rádio e comida. Camacho, inclusive, chegou a pedir que Blindado e Gulu, por serem altos e muito fortes, se responsabilizassem pela integridade física dos agentes.

Foi então que a ação envolvendo Da Fé e Bicho Feio, que estavam em uma cela separada, rebelados e à parte do grupo, começou. Eles foram arrastados para perto do pátio onde estavam Jonas e os outros presos. Com uma faca, Jonas começou a cortar a orelha de um deles e depois decepou a cabeça do outro, ritual que já era praticado eventualmente e que se tornou marca da facção, depois banalizada e disseminada por

---
1 N. do E.: matar.

rebeliões prisionais pelo país – também se utiliza cortar o peito do detento adversário para arrancar o coração, entre outras atrocidades.

Pedrosa chega enfim à CCT, vindo de São Paulo. Ele sabia que não havia como os policiais superarem aquela barreira humana de presos para render os agentes penitenciários. Era preciso negociar, e quem sempre negociava com o Ismael Pedrosa era Marcola, um dos quatro líderes da rebelião. Além dele e de Jonas, também estavam na liderança daquela ação o Sombra, Idemir Carlos Ambrósio (um preso extremamente inteligente), e Blindado. Jonas repetia a todo o momento que ia matar os quatro reféns e depois iria se matar "para não dar ponto para os PMs".

Pedrosa tentava acalmar a situação, procurava negociar. Esse jogo de poder e persuasão durou até mais ou menos cinco horas da tarde, quando os rebelados, para mostrar força e dar o recado de que realmente estavam dispostos a tudo, jogaram uma das cabeças cortadas por Jonas por cima da muralha da CCT. A "bola surrada", como os presos a chamaram, chutada muitas vezes, era a cabeça de Antonio Carlos dos Santos, o Bicho Feio, um dos "Fundadores". O ato de jogar a cabeça de Bicho Feio não foi por acaso, era um recado. Quando fosse noticiada, indicaria que a missão havia sido cumprida: a destituição de um dos antigos líderes para a ascensão de um novo. No caso, Marcos Willians Herbas Camacho. Tem início, assim, o período de liderança da segunda geração, embora Camacho, o Marcola, fosse ligado a Cesinha – "Fundador" da primeira geração – desde 1986, como comparsa nos assaltos a banco.

A cabeça caiu justamente no pé de uma juíza que estava ajudando nas negociações. Apesar da prática bárbara não ser novidade no ambiente prisional, era algo que não chegava à mídia. Mas daquela vez chegou.

Marcola assumiu as negociações. O plano dos rebelados seguia conforme arquitetaram. Iniciaram-se as conversas para as remoções. Os envolvidos na rebelião foram removidos para os presídios que escolheram. E, diante do caos de cabeças rolando, o Estado cedeu. A exigência foi aceita e as remoções foram feitas conforme o pedido da liderança da rebelião. Os presos foram removidos em grupos de três ou quatro para presídios estratégicos que ainda precisavam ser completamente dominados pela facção.

Gabaritados pelo teste por terem passado por uma rebelião dessas, eles chegaram aos respectivos presídios como heróis, já entrando com status de líderes. Quer dizer, a rebelião serviu não só para a ascensão de uma nova geração, ainda mais violenta e preparada que a anterior, mas também fez com que o Estado acabasse permitindo que a facção espalhasse seus tentáculos pelo sistema prisional.

Os presos depois admitiram que o principal objetivo da rebelião era acabar com a Casa de Custódia e Tratamento, e o segundo objetivo era matar os inimigos do "partido", pois já tinham julgado os "Fundadores" mortos na ação como traidores – a acusação de traição vinha invariavelmente acompanhada de outra, a de que esses presos exigiam resgate ou pagamento de outros presos; a mesma desculpa usada em outras inúmeras rebeliões para justificar as eliminações.

Ao final, a facção conseguiu redistribuir sua liderança em presídios considerados "chaves" para eles, como a Casa de Detenção, para onde foram Sandro Henrique da Silva Santos, o Volete, e Cesar Roriz Silva. Camacho e seu irmão, Alejandro, foram para a penitenciária, onde a situação era mais controlada.

Sobre a questão do fechamento da CCT, a rebelião plantou a semente, pois autoridades passaram a dar entrevistas sobre a questão de o sistema prisional não comportar uma Casa de Custódia e Tratamento naquelas condições, com uma política excessivamente severa e que resultava em rebeliões como a de dezembro de 1999, sugerindo, inclusive, que não tivesse mais continuidade e que fosse desativada. O fato é que realmente foi iniciado, um tempo depois, um processo de desmonte da CCT. Assim, o principal objetivo da rebelião tinha sido conquistado.

A realização dos objetivos infundiu à nova liderança do PCC muito poder. Em 36 horas eles conseguiram dobrar o Estado e impor sua vontade. Era natural que pensassem que, se fosse orquestrada uma ação de amplitude maior, o Estado poderia ceder mais. Na cabeça da nova liderança uma coisa tinha ficado clara: o Estado era covarde.

O sucesso inesperado dessa ação levou os líderes do PCC a perceberem que poderiam atuar não só no crime, não só dentro do sistema prisional. Essa foi a raiz da megarrebelião do início do ano 2001 e dos ataques de

2002, 2003 e 2006. Foi nesse momento que o PCC se tornou de fato uma organização criminosa moderna e hierárquica. Eles haviam atingido a maturidade.

***

É importante ressaltar que, apesar de a ação ter resultado na ascensão de Marcola, não foi ele o mentor da rebelião de 1999, mas, sim, Zé Márcio Felício, o Geleião. Porém, como será explicado mais adiante, a partir desse evento surgiu, nessa complexa trama, o personagem que seria a nêmesis de Zé Márcio.

Outro desdobramento da ousada ação foi a sindicância instaurada na Secretaria de Assuntos Penitenciários (SAP). Era impossível que os presos tivessem conseguido se rebelar daquela maneira, ultrapassando inúmeras barreiras, grades, arames e portão atrás de outro portão de aço sem a colaboração do pessoal do presídio. "Olha, não conseguimos dizer quem [ajudou], mas é evidente que houve favorecimento na entrada", disse, em depoimento para um material da Procuradoria, um dos envolvidos na sindicância.

A rebelião foi, na verdade, uma cortina de fumaça para a execução de dois "Fundadores" e a capilarização do movimento pelos presídios do Estado que ainda não tinham uma liderança forte do PCC. Nessa época, o jargão "Tá tudo dominado" se espalha e o poder da facção aumenta mais ainda.

Marcio Sergio Christino e Claudio Tognolli

CAPÍTULO 6
TÁ TUDO DOMINADO

Depois de Taubaté, o que ficou acertado era que as lideranças não voltariam mais para a CCT. Em troca, deixariam de matar outras facções. O Domingo Negro já era passado, a Casa de Detenção estava dominada pelo PCC, que controlava a população carcerária com mais eficiência do que o Estado jamais havia feito.

Por duas décadas, de 1920 a 1940 – ano em que atingiu sua capacidade projetada máxima de 1.200 detentos –, o Carandiru, então chamado de Instituto de Regeneração, foi considerado um padrão de excelência nas Américas, atraindo a visita de inúmeros políticos, estudantes de Direito, autoridades jurídicas italianas e até mesmo personalidades, como o pai da antropologia estruturalista, Claude Lévi-Strauss, que iam a São Paulo para visitá-la.

Em 1936, Stefan Zweig – amigo íntimo de Sigmund Freud – escreveu em seu livro *Encontros com homens, livros e países*: "A limpeza e a higiene exemplares faziam com que o presídio se transformasse em uma fábrica de trabalho. Eram os presos que faziam o pão, preparavam os medicamentos, prestavam os serviços na clínica e no hospital, plantavam legumes".

Com tal tamanho e tradição, isso significava que eles não conseguiam dominar tudo. O PCC era a maior organização de todas, mas ainda havia outras facções, outras quadrilhas, que também agiam lá dentro. E o sucesso alcançado pelo PCC fez crescer os olhos de outros detentos, que também resolveram se organizar e montar a sua própria facção.

Com o vulto alcançado pelo PCC é difícil compreender como o Estado não percebeu a ascensão e o crescimento do grupo. Talvez até soubesse que um grupo se avolumava, mas não tinha ideia do poder de fogo dessa organização, de sua representação dentro do sistema prisional, até porque, até então, a referência que se tinha era apenas a das quadrilhas que existiam fora do sistema e se reproduziam dentro das casas de detenção, quando seus integrantes eram presos todos juntos.

O PCC apresentou uma estrutura, uma ideia completamente diversa, e, de certa forma, também uma ideologia. Talvez não correspondesse àquilo que realmente diziam, mas eles se apresentavam como representantes da massa carcerária. Para esse tipo de organização o Estado ainda não estava preparado e, por isso, relutava em admitir que esse movimento estivesse acontecendo.

Em 14 de dezembro de 2000, em Taubaté, a direção do presídio remeteu um ofício ao comando da Polícia Militar da região solicitando reforços, nominando a existência de facções, como são denominadas as organizações que proliferam no sistema penitenciário trabalhando no sentido destrutivo, com inúmeros seguidores e mantidas com injeções financeiras externas. Convém lembrar que, naquela época, os distritos policiais possuíam carceragens muito grandes, costumava-se manter presos em grande quantidade e por muito tempo nesses locais, o que não passou despercebido pelo PCC. Eles criavam rebeliões nesses distritos também; era muito fácil, porque nesses locais não se aplicava o mesmo rigor na revista como acontecia no sistema penitenciário, simplesmente porque tal procedimento era impossível. Em razão dessa configuração mais frágil, o PCC promovia resgates nesses lugares, porque a composição policial de um distrito não é feita para conter presos nem para segurar fugas, mas sim para manter uma estrutura voltada às investigações e atendimento ao público. Por isso os distritos eram presa fácil para a atuação do PCC, que resgatava pessoas de seu interesse que lá estavam.

Houve um resgate dramático, inclusive, em que dois PMs foram mortos a tiros de fuzil. Depois dessa ação, foi criada uma unidade exclusiva da Polícia Civil para analisar e investigar esse tipo de resgate. Tornou-se insustentável a manutenção dos presos em distritos, por isso foram construídos os atuais centros de detenção provisória.

Em 22 de março de 2001, Idemir Carlos Ambrósio, o Sombra, prestou depoimento no qual ele se justifica pela morte de alguns presos ligados à Seita Satânica, dizendo que a responsabilidade seria da própria Coordenadoria dos Estabelecimentos Penitenciários do Estado de São Paulo de controlá-los, e que o PCC parecia trabalhar para a Coesp, porque era a facção que controlava a massa carcerária, que evitava o aumento de mortes dentro das instituições. "Olha, muitos presos não morreram por conta da nossa proteção."

Porém, mesmo com as evidências, Pedrosa, Lourival e outros diretores negavam do começo ao fim a existência do PCC. O documento mais antigo do sistema prisional que faz referência à facção é uma decisão judicial datada de 12 de fevereiro de 1998, três anos antes da megarrebelião. Ela menciona que a Secretaria de Administração Penitenciária requereu ao juiz corregedor dos presídios na época a autorização para remoção de seis sentenciados que estavam no CRP de Taubaté para outros estados, reconhecendo que a atuação desses presos desestabilizava o sistema penitenciário e eram consideradas lideranças lesivas. O juiz corregedor da época atendeu ao pedido até mesmo porque o próprio secretário de Administração Penitenciária queria essas remoções por não conseguir conter esse grupo.

Foram removidos César Augusto Roriz, o Cesinha, Misael, José Márcio, o Geleião, José Eduardo Moura da Silva, Júlio César Guedes de Moraes, o Julinho Carambola, e o Edmilson Evanilson Melo da Silva. Ou seja, em 1998 já havia uma confirmação judicial de que existia uma organização criminosa e suas lideranças não conseguiam ser contidas pela administração. Quer dizer, todas as medidas, truques e manobras para evitar o crescimento do Primeiro Comando da Capital foram em vão. Não foi possível, em nenhum momento, conter a expansão do PCC dentro do sistema.

Sempre que iam à mídia, as autoridades negavam a existência de uma organização daquele porte, um discurso muito estranho e controverso, que ocultava a realidade com a qual se defrontavam. Não admitiam, mas de certa forma já atuavam declaradamente contra, pedindo remoções, mandando-os para outros estados, inclusive reconhecendo em juízo que não conseguia contê-los.

Até mesmo essa tentativa de desmobilizar o PCC com o envio dos líderes a outros estados foi completamente equivocada. A ida deles para outros estados não causou nenhum efeito impeditivo, nenhum obstáculo. Pelo contrário, gerou crescimento da organização.

Em 19 de novembro de 2001, a Secretaria de Segurança Pública do Paraná já identificava 16 detentos dentro do sistema paranaense como lideranças do Primeiro Comando da Capital. Apontavam Misael e Cesinha como dois líderes que orquestravam resgates dentro do sistema prisional do Paraná. Misael foi surpreendido durante uma visita tirando fotos do pátio de Piraquara para mostrar como era a estrutura de segurança e a estrutura interna do pátio, permitindo o estudo do lugar para que os resgates fossem feitos – a ideia era mandar o material por meio de uma de suas visitas para que chegasse às mãos dos comparsas. Essas atitudes eram absorvidas pelos presos paranaenses, que aprendiam com essas lideranças.

Após os muitos relatórios sobre rebeliões apresentados, pedidos de remoção e menções expressas ao Primeiro Comando da Capital, o Departamento de Inquéritos Policiais e Polícia Judiciária da Capital (Dipo) instaurou uma sindicância para apurar a existência de uma organização criminosa. Essa sindicância teve como primeira medida oitiva o questionamento do atual secretário da Secretaria de Administração Penitenciária, Lourival Gomes, sobre a existência dessa organização. Ele a negou para o juiz Alexandre Zilli.

Com base nesse depoimento, o promotor de Justiça Gabriel Zacarias de Inellas fez uma denúncia contra Lourival Gomes por falso testemunho, dizendo que a organização existia. A denúncia não foi aceita, pois o juiz entendeu que não havia provas suficientes, bem como outros tipos de argumentos, tal como a inépcia da denúncia e sua incoerência, dada a existência da organização e não determinação exata de como essa organização existia, e rejeitou a denúncia de forma que nenhuma investigação seguiu com relação ao tema.

O que se pode extrair de tudo isso é que, até fevereiro de 2001, não havia o reconhecimento da organização criminosa por parte do Estado; havia a negação, muito embora a Secretaria de Estado da Administração Penitenciária agisse contra o Primeiro Comando da Capital, tentando, das formas que conhecia, e até mesmo algumas inovadoras de combate à repressão, anular a ação da facção. É importante ressaltar que, nessa época, toda a atuação do Estado contra o PCC se dava intramuros, ou seja, nada foi feito fora da Secretaria de Assuntos Penitenciários. O assunto ficou contido dentro dessa estrutura do Estado, de maneira que não houve atuação da Polícia nem ação do Ministério Público ou de outras organizações.

Essa atitude, sem dúvida, serviu de certa forma como uma influência em cima daquela metástase que se tornou o Primeiro Comando da Capital, já que não havia nenhuma ação coordenada fora, externa, envolvendo as muitas organizações que poderiam debelá-la.

O que por vezes se admitia era que o PCC poderia ser uma quadrilha como tantas outras dentro do sistema prisional. E esse convencimento predominou até o momento em que o PCC transbordou para fora do sistema prisional. Quando a facção se apresentou à sociedade, o Estado teve que admitir a existência da organização criminosa. E isso se deu em fevereiro de 2001, quando eclodiu a megarrebelião.

***

A megarrebelião atingiu 29 presídios e marcou de maneira determinada a ação do Primeiro Comando da Capital. Precisamente no dia 18 de fevereiro de 2001, domingo, o PCC se revelou para a sociedade, e sua existência não pôde mais ser negada.

Nesse momento, suas principais lideranças eram Zé Márcio Felício e César Augusto Roriz. Zé Márcio, o Geleião, estava no Rio de Janeiro, e Cesinha, no Mato Grosso. Quando eles foram mandados para outros estados, as lideranças já sabiam ou ao menos desconfiavam de que isso fosse acontecer, então escolheram duas pessoas que iam ser os pilotos – jargão que significava aqueles que iam dirigir o PCC enquanto as lideranças maiores estivessem fora. Os escolhidos foram Sombra e Jonas. Ambos estavam presos no Carandiru e eram lideranças expressivas. José Márcio Felício, nessa época, já usava celular e controlava as ações do Rio de Janeiro por meio de uma central telefônica baseada em São Paulo e que era controlada por uma mulher, a Mãezona. Ela era encarregada de repassar e cobrar as determinações e as ordens que eram passadas pelo Geleião.

***

Sombra e Jonas, portanto, estavam na liderança na condição de pilotos gerais. Sombra tinha sido transferido de Taubaté, em mais uma demonstração de força e poder da facção ante o Estado. Mesmo chegando à Casa de Detenção com o compromisso de que o sistema não seria perturbado, que não haveria rebeliões, foram executados cinco presos de uma só vez. Quem morreu? As lideranças da Seita Satânica, o pequeno grupo de detentos que usava o apelo religioso para se opor ao PCC.

Porém, como a Secretaria de Administração Penitenciária tinha acordado que Sombra iria para o Carandiru sob a condição de não haver violência, essas eliminações custaram um alto preço: os mentores das mortes seriam novamente levados ao CCT de Taubaté.

Ao ser colocado no veículo que iria levá-lo de volta, Sombra gritava para todo mundo que eles iam "pôr fogo no sistema" porque aquilo era uma quebra de compromisso, já que ele não poderia voltar a Taubaté. Era a quinta-feira anterior ao domingo da megarrebelião. Aquela gritaria era um comando, e na época até chegou a ser publicado nos jornais.

A ordem foi, então, replicada imediatamente para as demais centrais com a ajuda da Mãezona. Ela consultou o Zé Márcio Felício no Rio de Janeiro, para saber se era mesmo para executar a ordem de Sombra. Após a confirmação, o plano da megarrebelião passou à execução.

Sueli Maria Resende, a Mãezona, era a mentora das centrais telefônicas – na verdade, era uma linha de telefone fixa que fazia a transferência de uma chamada para outra, quer dizer, promovia uma teleconferência, algo comum hoje, mas não na época. O preso ligava para o telefone fixo que Mãezona administrava, e ela, que tinha uma lista de celulares das lideranças, repassava a ligação, como uma versão moderna das telefonistas das primeiras décadas do século passado. A linha era cadastrada no nome de um laranja e mudava constantemente para não despertar suspeitas. Para cada membro preso da facção havia uma pessoa, geralmente namorada, que operava o celular. Esse cargo o PCC batizou de "operadora".

Por ser muito próxima de Geleião – tinha genuína adoração por ele –, Mãezona foi o vértice de toda a operação, porque ela era a responsável por repassar as ordens das lideranças. Geleião, então, determinou:

– Olhe, Sueli, vai virar tudo!

Imediatamente ela ligou para as outras centrais e falou que a ordem era para virar, fazer protesto e quebradeira – no comando também estava embutida a autorização para eventuais vinganças e eliminação de lideranças opositoras. A reação foi em cadeia – sem trocadilhos, um dominó que durou cerca de 48 horas, com cada central se comunicando com os pilotos alocados nos presídios da sua região.

A mensagem era: "O comando mandou que a ação aconteça no domingo". Novamente um dia de visita era usado como escudo para uma operação do PCC, uma vez que os visitantes não poderiam deixar os presídios e se tornariam reféns facilmente, evitando que a polícia entrasse e promovesse um conflito de grandes proporções. Sem contar que, com reféns em seu poder, a organização conseguiria controlar melhor a sua duração e, consequentemente, sua exposição na mídia – o último presídio a se entregar, por exemplo, só o fez na terça-feira.

Só no Carandiru, cerca de 5 mil pessoas, 4 mil adultos e mil crianças, visitavam seus parentes presos. Ao chegar, muitos desses visitantes já sabiam que ficariam no presídio – tinham sido avisados pelos presos – para garantir a proteção dos detentos contra uma eventual ação policial.

A megarrebelião se deu em 8 de fevereiro de 2001, e a facção conseguiu sincronizar cerca de 30 unidades prisionais pelo país, que se rebelaram ao mesmo tempo. A determinação foi iniciar a rebelião por volta do meio-dia.

O saldo foi entre 12 e 16 presos mortos – ainda existe divergência quanto a esse número, até porque foram mortes que entraram na conta da execução de lideranças opositoras ao movimento – além da exposição na mídia brasileira e também internacional, escancarando a existência da organização por meio não só da ação, mas das muitas bandeiras e faixas com a sigla PCC que tremularam nas janelas das celas e foram postadas nos tetos dos presídios dominados. Não havia mais como negar.

É interessante anotar que a imprensa brasileira, na época, não dava muita importância a esse tipo de ação. Todos eram reticentes em admitir a existência da organização criminosa – não só o Estado. Ninguém, antes da megarrebelião, queria fazer reportagem sobre o PCC. Uma semana antes da ação, Marcio Christino, um dos autores deste livro, chegou a se encontrar com um jornalista de uma das três maiores revistas semanais da época, que ficou abismado com as informações e disse:

– Isso é maior do que eu estava pensando!

Mas nada foi publicado. Teria sido um grande furo.

O marketing da sigla PCC foi feito de uma maneira tão acachapante, tão evidente e vigorosa que não foi mais possível ao Estado desmentir a existência dessa organização. Foi um erro ou um acerto? Até aquele momento, o PCC estava sendo combatido apenas pela Secretaria de Administração Penitenciária, num ambiente intramuros. A estratégia era negar sua existência, porque admiti-la levaria a uma reavaliação do papel do Estado na administração penitenciária. A rebelião expôs essa verdade.

Para o PCC foi um ganho. A organização foi apresentada à sociedade já consolidada, grande, poderosa. E essa imagem de força se ampliou mais ainda com os atentados de 2002 e 2006, com o sequestro de um jornalista e a morte de um juiz. Chegaram dominando tudo.

A contrapartida da ação foi a cobrança que se começou a fazer ao Estado, que foi instado a agir. Afinal, como havia permitido a organização desse grupo, algo que não aconteceu da noite para o dia, mas que demorou oito anos para ocorrer (de 1993 a 2001). Como tinham deixado um grupo de oito, dez pessoas se tornar a maior organização criminosa do Brasil? O grupo tinha tentáculos espalhados pelo Paraná, Mato Grosso e Rio de Janeiro – onde já se começava, inclusive, a troca de diálogo entre o PCC e o Comando Vermelho, uma vez que Geleião estava preso num presídio do Estado fluminense.

Não se pode negar, no entanto, que uma das sequelas da grande ação também aconteceu dentro da facção: uma fissura interna que não tinha existido até aquele momento.

CAPÍTULO 7

O PCC TRANSBORDA AS MURALHAS

Após a megarrebelião, o PCC cresceu como nunca, passou a ser visto como uma grande organização criminosa e ganhou notoriedade, passando a ser objeto de atenção de todas as mídias. Adquiriu quase que uma consciência própria.

Foi o terceiro maior evento do grupo, ao lado da sua fundação e da rebelião da CCT de Taubaté, mas que, pela primeira vez, envolveu atores até então nunca acionados, os familiares dos presos. Foi uma colaboração consciente, ou seja, quando foram aos presídios, as visitas já sabiam que a rebelião ocorreria – o escudo perfeito que amorteceu a ação policial. Os bandidos tinham escudo humano, armas, drogas e meio de comunicação.

A partir desse momento, podem-se estimar duas consequências que vão mudar a história da organização, uma externa e outra interna.

A externa foi seu surgimento para a sociedade. Com as bandeiras e faixas expondo a sigla da facção a cada rebelião que agora ocorria, o PCC transbordava os limites das muralhas. O impacto foi tão grande que surpreendeu os secretários da Administração Penitenciária e da Segurança Pública. Assim, o PCC deixava de ser uma questão a ser tratada no reservado do sistema prisional como uma questão secundária, para ser protagonista das ações da Segurança Pública. Alguns dias depois da megarrebelião, a revista *Veja* publicou uma reportagem com a manchete "Eles tomaram o poder", com observações muito interessantes. Destacam a ousadia da organização e o uso de parentes. Essa avalanche de informações sobre um poderoso e perigoso grupo, que não era conhecido fora do ambiente da marginalidade, chocou a sociedade e ganhou a mídia do mundo todo. A partir desse momento, a ação do Estado para conter esse movimento passa a ser cobrada. Essa foi a grande consequência da megarrebelião.

A outra questão a se destacar como sequela da grande ação foi a reestruturação da liderança do PCC. A megarrebelião fora ordenada inicialmente por Idemir Carlos Ambrósio, o Sombra, e por Jonas Matheus – apesar de essa ordem ter sido corroborada por Zé Márcio Felício, o Geleião, e por Cesinha, que deram o sinal verde para as centrais telefônicas fazerem a sua parte – fundamental, aliás.

Sombra e Jonas não eram "Fundadores", ou seja, eram pilotos que ascendiam na hierarquia e passavam a atrair também a atenção da administração penitenciária, que passa a reconhecê-los como líderes da facção. Nesse momento, o discurso de Idemir já é de líder: "Vocês veem quem nós matamos, o que nós estamos fazendo, mas não veem quem nós salvamos. Ou seja, com essas mortes nós evitamos conflitos dentro do sistema, porque nós cuidamos do sistema. Nós entendemos o que é bom para o sistema", disse ele ao ser inquirido pelas mortes do grupo da Seita Satânica, assim que chegou ao Carandiru. "Nós estamos aqui, estamos tornando o sistema viável, ao contrário do que a administração está fazendo. Vocês estão jogando o sistema numa situação de descontrole. Somos nós que controlamos o sistema e não vocês", completou ele, que tinha plena convicção de que a ação do PCC nos presídios era para a promoção da ordem – aliás, um discurso usado até hoje, tamanho o despreparo do Estado para lidar com a questão.

NOTORIEDADE

Os novos líderes viraram celebridades do sistema prisional. Passaram a ser procurados pela mídia, a dar entrevistas a jornalistas através do telefone celular. Não se interceptavam essas ligações, mas se sabia sobre elas. Os jornalistas entravam em contato com as lideranças com frequência em busca de informações. Os profissionais de imprensa passaram até a fazer parte da lista de visitas das lideranças.

Com essa repercussão fora dos muros do sistema prisional, os líderes perceberam que a organização funcionava tanto dentro quanto fora dos muros do cárcere. Ou seja, entenderam que podiam agir também fora, nas ruas.

Essa percepção provocou uma nova ação do PCC: o sequestro da filha do diretor da CCT de Taubaté, Ismael Pedrosa, tido como o maior inimigo da facção dentro do sistema prisional. O PCC sempre teve uma aversão muito grande a Pedrosa.

A ação propriamente dita foi realizada em abril, dois meses depois da megarrebelião, por quatro criminosos: dois homens e duas mulheres. Eles chegaram ao consultório da médica Eulália Rodrigues Pedrosa dizendo que tinham agendado uma consulta. Agindo normalmente, como pacientes, não despertaram desconfiança com suas presenças. Enquanto um deles se apresentava na recepção e fazia o cadastro para atendimento, outro sacou o revólver e anunciou o assalto. Simularam um roubo, dominando funcionários e pacientes que aguardavam sua vez para ser atendidos. A tática era anunciar um assalto, porque a reação da vítima, geralmente, é permitir ser despojada de seus bens, é não se opor. No entanto, quando você anuncia um sequestro, a chance de reação é maior.

Eles renderam a filha do diretor Pedrosa, 44 anos de idade, que inicialmente resistiu. Tentou negar que fosse filha do diretor do presídio, mas os criminosos eram bem informados, bem organizados, e executaram a ação de maneira eficiente. Além disso, avisaram que estavam em poder de seus filhos e que se ela não os acompanhasse eles os matariam. Eulália se rendeu. Eles saíram do local, deixando os pacientes amarrados com silver tape e sem seus bens: cartão de crédito, dinheiro – os criminosos levaram tudo que puderam.

O bando usou um Golf dourado para fugir. Um carro rápido. A rua que abrigava o consultório era movimentada e a ação foi ousada, porém eficiente. Não houve tempo para resistir. Tanto que, apesar de o consultório contar com trancas elétricas e aparelhos de contenção de segurança, eles conseguiram entrar, executar a ação e sair rapidamente.

Imediatamente após a notícia do sequestro, Nagashi Furakawa, então secretário da Administração Penitenciária, afastou Pedrosa. Em seguida começaram as investigações. Eulália foi levada para o cativeiro, um barraco camuflado, no Morro Nova Cintra, na periferia de Santos.

A ação foi tão sofisticada que, quando ela foi levada para esse cativeiro, os criminosos cuidaram para que as ruas próximas ficassem sem iluminação. Além disso, a região, por estar na Serra do Mar, era protegida pela vegetação de mata muito fechada.

A ação foi coordenada por uma nova liderança dentro do PCC: Sandro Henrique da Silva Santos, o Gulu, que tinha sua base de atuação no litoral sul de São Paulo. Além de homicida e assaltante, ele também dominava as bocas da região. Era o maior traficante do litoral do Estado de São Paulo. Praticamente nenhuma droga era vendida sem que ele ganhasse com isso, o que não o impedia de matar quando fosse conveniente. Quase todo tipo de crime praticado naquela região estava direta ou indiretamente ligado a Gulu.

Eles agiram rápido de modo a aproveitar o burburinho em torno da megarrebelião, que ainda reverberava na mídia. O sequestro foi o primeiro grande ato da facção fora dos presídios, revelando a amplitude que estavam alcançando.

Além disso, o sequestro mostrou a estratégia sofisticada de ação que a organização assumia para obtenção da liberdade de seus líderes, no caso Sombra e Jonas, que estavam no CCT de Taubaté. Esse, aliás, era outro objetivo do sequestro da filha do diretor Pedrosa: forçá-lo a liberar as lideranças que estavam em Taubaté. Na verdade, era o principal motivo. Porém, dessa vez o Estado agiu, afastando o diretor de imediato.

De qualquer forma, esse ataque atemorizou toda a Administração Penitenciária. Todo diretor de presídio, qualquer funcionário e agente penitenciário receava ser atingido pela organização criminosa.

Considerando que Pedrosa era o diretor do presídio de segurança máxima de São Paulo, se não conseguiam protegê-lo, nem a sua família, como protegeriam os demais?

INTERCEPTAÇÃO

O sequestro caiu como uma bomba na Administração Penitenciária. Para o Estado foi gravíssimo. Um impacto muito grande, apesar de ela ter ficado somente 42 horas em poder dos bandidos.

É interessante observar que, a partir desse evento, as autoridades passaram a disseminar o discurso de não negociar com o PCC. Aliás, nem sequer ligaram a organização ao sequestro. Diziam que era obviamente uma ação de uma pessoa que estaria ligada ao sistema prisional, já que ela era filha do diretor de um presídio, e que nenhuma exigência em dinheiro havia sido feita. Ora, se fosse uma ação comum de sequestro, os criminosos teriam pedido resgate e a vítima não seria filha de um diretor de penitenciária, mas alguém que não oferecesse ameaça aos bandidos. Ou seja, para um bom observador, era nítido que a ação tinha cunho político.

E por que o sequestro tinha durado apenas 42 horas? Por uma questão simples: naquela época, as interceptações telefônicas eram uma questão nova. Não havia os sistemas eletrônicos que se tem hoje. Não havia um Guardião[2] para transformar tudo em arquivo eletrônico, não havia estrutura nem pessoas capazes para fazer a degravação. Muito embora já fosse possível rastrear uma ligação, não era tarefa fácil de ser feita. Nessa época, inclusive, as gravações eram feitas em fitas cassete. Os gravadores diminuíam a velocidade da fita e a qualidade do que era gravado era ruim. Fazia-se gambiarra, sucateava-se o método. Uma fita de uma hora era usada para registrar até três horas de conversas e ligações. Era um trabalho insano porque era preciso ficar trocando a fita. Tudo era feito de modo grosseiro.

De qualquer forma, o rastreamento foi utilizado nesse caso. E logrou--se eficiente, já que a investigação descobriu qual linha telefônica estava sendo usada por Gulu.

---

2 O sistema Guardião é uma ferramenta sofisticada composta por um dispositivo computadorizado que recebe os sinais eletrônicos das operadoras de telefonia e os armazena em arquivos de áudio.

A interceptação do telefone de Sandro Henrique da Silva Santos não estava vinculada necessariamente ao sequestro. Fazia parte de outra investigação sobre o PCC – o Estado determinou, diante da pressão que sofria, que interceptações e investigações começassem logo após a megarrebelião. E claro que focaram nas lideranças. Quando as ações muito relevantes eram orquestradas, as próprias lideranças usavam o telefone para delegar e comandar os envolvidos. Pela primeira vez o Estado os pegou de surpresa, e não o contrário. Assim, foi graças à interceptação feita no telefone de Sandro Henrique da Silva Santos que se descobriu quem eram os sequestradores da filha do diretor Pedrosa.

ELEMENTO SURPRESA

Sandro Henrique da Silva Santos tinha um piloto, um homem de confiança, responsável pelas ações do grupo dele fora dos presídios: Sérgio Luiz Fidélis, que depois praticou uma série de atentados em Santos, no Guarujá e região e acabou sendo condenado por isso (ele acabou morto em um dos presídios pelos quais passou).

Numa das ligações que Gulu fez a Fidélis, eles discutiram questões do sequestro. Mencionaram Marcelo Calixto Costa, um conhecido deles, e um desconhecido, que também estavam envolvidos no sequestro. Nessas interceptações, também descobriram que havia outro sequestro em curso, de uma criança: "Só não mata, porque vou ver o que está acontecendo, espera que a gente não sabe o que eles sabem. Não mata não, fica com Deus". Essa era uma dialética comum dos membros do PCC.

É interessante também notar que durante essas gravações a mãe de Gulu, dona Rosa, pode ser reconhecida como braço direito do filho. É uma pessoa a quem ele obedecia e que o informava sobre o que estava acontecendo do lado de fora do presídio. Nessa investigação também foi registrada uma ligação entre Gulu e sua advogada, que ilustra bem o *modus operandi* do grupo:

– Olha, eles sabem do menino sequestrado, sabem do Fidélis, do sequestro. Eles estão sabendo que é você. Eles sabem de todo mundo. Eu falei com eles.

Agindo assim, a advogada deixou de atuar como tal e se tornou cúmplice dos crimes que estavam sendo praticados. A ação de orientar os criminosos em como proceder para garantir o sucesso do crime está além de qualquer atividade legal.

Assim, a advogada, ao deixar claro que haviam sido descobertos, orienta os clientes para que soltem os sequestrados.

– Olha, solta todo mundo, deixe eles andarem, não acontece nada com eles, pelo amor de Deus, não acontece nada. Mas não solta eles de imediato porque podem desconfiar que estou conversando com vocês [sobre isso]. Eles não podem pensar que eu estou falando com vocês.

E é o que acontece. Ou seja, o sequestro da filha do diretor Pedrosa foi esclarecido não diretamente por causa de um trabalho específico ligado ao caso, mas porque o alvo da investigação era a liderança do PCC, era Sandro Henrique da Silva Santos.

É curioso observar que as notícias publicadas sobre o caso são completamente equivocadas, já que afirmam que não havia nenhuma atividade policial ou acordo, nem mesmo nenhuma ligação entre a soltura e qualquer PCC.

É interessante também perceber que os criminosos sabem do risco de serem interceptados. Eles comentam entre si sobre o risco, assumem esse risco, mas admitem que não podem fazer de outra forma, o que prova que a comunicação telefônica sempre foi a maneira que fazia o fluxo de execuções girar na organização.

A conclusão desse caso foi que Eulália foi solta, Fidélis e os outros envolvidos foram presos, e Gulu subiu mais na hierarquia da facção, nivelando-se a Camacho. Mas, mais importante, a ação mostrou à polícia como o PCC se estruturava e que o telefone celular era o grande aliado deles.

Outro ponto positivo para a organização criminosa foi que, depois do sequestro de sua filha, Pedrosa nunca mais conseguiu retomar o papel que tinha dentro do sistema penitenciário. Ele ficou marcado, de certa forma, e acabou se aposentando.

Mas o PCC nunca esqueceu o Pedrosa. Dois anos após se afastar, em outubro de 2005, ele foi assassinado em Taubaté por Marcos da Silva, o Pabão, e Elias do Nascimento, o Carioca, dois executores do PCC – ambos foram condenados por isso.

O crime ocorreu após Pedrosa participar do plebiscito sobre a proibição de comercialização de armas de fogo e munições. Era um domingo e, ao deixar a região da sua zona eleitoral, dirigindo seu Honda Civic prata, acabou sendo perseguido e fuzilado com dez tiros. Pedrosa sempre recebeu ameaças, e o ódio da organização contra ele perdurou até o momento em que ele foi vítima de homicídio.

Como se vê, a megarrebelião marcou a história do PCC. Foi uma batalha que definiu o início de uma guerra, por vezes cirúrgica, entre bandidos e sociedade, PCC e Estado.

CAPÍTULO 8

A HORA E A VEZ DOS PILOTOS

"Olá, Jonas e Sombra, tudo bem? Confesso que fiquei muito chateada com vocês dois. Jonas prometeu que me colocaria no hall de visitas para entrar e falar com todos vocês e me enganou, estive dois domingos seguidos na fila das visitas da Casa de Detenção e não consegui entrar porque meu nome não estava lá, senti muito. Agora gostaria de saber se algum de vocês poderia me colocar no hall de visitas daí. Gostaria também de saber se vocês podem me escrever dando notícias de como vão as coisas. Sabem que o Marcola está sendo trazido de volta para São Paulo? O Nagashi [secretário de assuntos penitenciários] disse que não vai mandá-lo para Taubaté, mas não sei se isso é verdade. Por que vocês ficaram separados? Por que só ele foi para o sul? Jonas, me conte notícias, gostaria muito de saber como você está. Sombra, o juiz corregedor Otávio Augusto Machado disse que você é excepcional, que nunca viu um homem com tamanha liderança. Como você conseguiu conquistar o homem? Mande notícias, por favor. Abraços, RM."

Essa é a íntegra de um bilhete digitado e impresso em papel, de autoria da jornalista que será identificada somente por RM, endereçado a Jonas

Matheus e Idemir Carlos Ambrósio, cujo assunto foi anotado como "Urgente" – o papel foi apreendido com os dois líderes.

Como se pode notar, o texto cria uma intimidade e indica que havia um fluxo de informações entre os dois líderes do PCC de então, a jornalista e o secretário Nagashi Furukawa – aqui relacionado a uma suposta transferência de Marcola de um presídio do Rio Grande do Sul para São Paulo. E ainda fazia menção a um encontro entre o juiz corregedor da época, Otávio Augusto Machado, e Sombra, confirmando a importância que os dois ex-pilotos assumiam dentro da organização criminosa. Essa notoriedade e poder teriam consequências.

Cerca de três meses após o sequestro da filha de Pedrosa, Sombra vai ao banho de sol, no pátio da CCT de Taubaté. Com ele estavam Vinícius Brasil do Nascimento, o Capeta, Luciano Fernandes da Silva, Carlos Magno Zito Alvarenga, o Nego Manga, Fernando José Januário, Wilson Victor Huckek e Alex Aparecido Oliveira.

Tudo corria dentro da normalidade naquela rotina quando um desses comparsas aplicou, de surpresa, uma gravata em Sombra. Imobilizado, ele passou a ser espancado. Foi agredido violentamente com socos no rosto. Quando caiu no chão, ele foi chutado na cabeça – essa parte do corpo sempre fora o alvo das agressões. Capeta e outro indivíduo usaram um cordão de sapato para laçar seu pescoço e arrastá-lo pelo pátio. Sombra provavelmente já estava morto. No trajeto dessa volta que nada mais era que uma demonstração espetaculosa de que o comando da facção estava mudando, existia uma valeta. Os dois algozes de Sombra o puxaram com tanta força que sua cabeça bateu na valeta e parte do couro cabeludo ficou grudada no chão, que se pintou de sangue.

Enquanto a cena acontecia, outro preso permanecia no gradil de entrada para o pátio, impedindo a entrada dos agentes penitenciários. Ele dizia:

– É briga de ladrão, coisa de ladrão.

Quando os agentes conseguiram entrar, obviamente Idemir Carlos Ambrósio já estava morto. Tinha sido executado cruelmente. Por que ele havia sido eliminado, considerando que, pelos preceitos do PCC, estava fazendo, digamos, um bom trabalho? Quais foram as questões que levaram a cúpula do PCC a ordenar sua execução?

A primeira testemunha ouvida na denúncia feita contra seis dos agressores de Sombra foi o agente penitenciário Márcio Antonio Simão, que confirmou a agressão praticada por Vinicius, Luciano e Carlos Magno Zito Alvarenga. Outro agente penitenciário, Ubiratã, também confirmou a agressão exatamente como Simão havia relatado (foi mencionada em detalhes, uma vez que as informações foram retiradas da denúncia), mas não mencionou Nego Manga.

Quando o processo foi instaurado, todos eles foram ouvidos em juízo. Porém, estranhamente, um dos agentes penitenciários apresentou versão destoante de seu depoimento anterior. Márcio Antonio Simão afirmou não ter visto Carlos Magno agredir a vítima. De acordo com o agente, nesse segundo depoimento Simão só observa e coloca as mãos sobre a cabeça, como se estivesse surpreso com os fatos.

Quando chegou a sua vez de depor, Vinícius Brasil do Nascimento assumiu completamente a responsabilidade pelo homicídio, afirmando que a morte havia resultado de uma briga entre eles.

Diante desses depoimentos, não havia outra solução a ser dada senão a absolvição sumária do réu Carlos Magno Zito Alvarenga.

Mas, afinal, quem era ele? Por que o protegiam? Carlos Magno Zito Alvarenga era simplesmente o braço direito de Zé Márcio Felício. Era o indivíduo de confiança de Geleião. Ou seja, nesse momento, ele era o líder do PCC naquela unidade prisional.

***

Apesar de ter assumido completamente a ação que resultou na morte de Sombra, num claro acordo para livrar Carlos Magno da condenação de mais um crime, menos de um ano depois do ocorrido, em abril de 2002, Capeta buscou a Corregedoria do Sistema Penitenciário a fim de prestar informações. Por quê? Porque, apesar de ter sido morto a mando do Primeiro Comando da Capital, Idemir Carlos Ambrósio tinha seus seguidores que o apoiavam, e eles cobraram o preço pela morte de seu líder.

Vinícius Capeta passou a ser perseguido dentro do sistema penitenciário por aqueles que queriam vingança pela morte de Sombra.

O PCC não quis tomar posição com relação a isso e passou a Vinícius a solução da questão. Por isso, ele se viu numa situação delicada, já que, sozinho, sem o apoio da facção, não tinha como reagir. Foi então que apelou para os então corregedores auxiliares, Luis Claudio Aguiar Faria e Marcia Luiza de Oliveira, no dia 17 de abril de 2002. Na sala da diretoria de reabilitação da CCT de Taubaté, ele narrou que:

"No dia 27 de julho, dia da morte de Sombra, foi procurado pelos sentenciados Jonas Matheus, Bilica, Nego Jairo (um dos apelidos usados por Carlos Magno Zito Alvarenga) e Mamá – todos eles depois foram identificados, processados e condenados como membros do Primeiro Comando da Capital. Jonas Matheus, o Bilica, Nego Jairo e Mamá deram ordens para que ele e Luciano Fernandes da Silva pegassem Sombra e o matassem. E que, por esse motivo, ele e Luciano estavam jurados de morte no CCT".

Em seu depoimento à Corregedoria, Vinícius disse que os sentenciados Bilica, Nego Jairo, Mamá, Gulu, assim como Geleião, Cesinha e Marcola, eram os líderes da facção.

Aqui se identificam os ramos de liderança dentro da organização: a dupla Gulu e Marcos Willians Herbas Camacho, o Marcola, e o grupo formado por Geleião, Cesinha e Nego Jairo – Bilica e Mamá atuavam como representantes dessas lideranças. Ou seja, Vinícius deixou claro que Sombra havia sido morto a pedido das lideranças do PCC à época.

***

Entre os que encomendaram a morte de Sombra estava Jonas Matheus, que, na megarrebelião de 2001, formou dupla de liderança com o próprio Idemir. Quatro meses depois da morte de Sombra, mais precisamente no dia 29 de novembro, Jonas tomava sol no pátio da penitenciária de Araraquara quando teve uma breve conversa com um preso conhecido como Edimilson Florêncio Gomes, o PDT. Os dois foram, então, terminar a conversa na cela de Jonas. Lá, Edimilson enfrentou Jonas, o que não era uma tarefa fácil. Ele tentou pegar Jonas desprevenido, e a luta foi sangrenta.

O laudo do exame de corpo de delito é esclarecedor: Jonas Matheus levara mais de 40 facadas, sendo uma delas na nuca – daí a conclusão de que Edimilson tentara surpreender Jonas. Talvez esse tenha sido o primeiro golpe. Jonas deve ter percebido as intenções de PDT e iniciou um movimento de se virar para seu oponente. Foi quando Edimilson deve ter desferido o golpe na nuca, o que não o matou instantaneamente, já que foi um pouco abaixo da orelha, na parte de trás.

Os dois, então, travaram uma luta muito violenta e feroz. Jonas tinha lesões fortes nas mãos e no antebraço, de maneira que ficou óbvio que ele se defendeu dos primeiros golpes com as mãos. Embora estivesse muito ferido, Jonas conseguiu sacar uma faca e atingir PDT, causando-lhe lesões graves no braço esquerdo, região escapular, e no tronco.

As facadas que Jonas levou cobriram quase todo o seu corpo, dando a impressão de haver muito ódio de PDT por Jonas. Costas, cabeça, mãos, costelas, peito e rosto foram esfaqueados.

Ninguém presenciou a morte de Jonas, e o próprio Edimilson pegou o corpo do comparsa e o puxou para fora da cela.

Com Jonas Matheus executado, em um intervalo de menos de um ano, os dois "pilotos" do PCC que foram alçados à liderança tinham sido eliminados. Os dois que estavam aparecendo cada vez mais na mídia e que ocupavam um espaço que não era exatamente deles.

E quem seriam os maiores beneficiários da morte de Jonas Matheus e de Sombra? A resposta é simples: Marcos Willians Herbas Camacho e Sandro Henrique da Silva Santos. E, claro, usando o mesmo raciocínio, Marcola e Gulu estavam se tornando um perigo e uma ameaça para, principalmente, Geleião – uma vez que Cesinha sempre se manteve muito ligado a Camacho.

Assim, o desenho do organograma da facção mudava mais uma vez.

CAPÍTULO 9
O ÍDOLO GIGANTE

José Márcio Felício, vulgo Geleia, Geleião ou Cavalo Branco, é uma figura fisicamente impressionante para quem o conhece e conversa com ele. É muito alto – deve ter mais de 1,90 de altura e, com certeza, mais de 130 quilos –, muito forte e ao mesmo tempo muito carismático, fala bem e é articulado.

Em sua primeira entrevista feita no Deic, logo depois de ter acordado sua delação premiada, o objetivo era estabelecer alguns parâmetros para entender como o PCC tinha nascido, como a mecânica da organização tinha se estabelecido. Questões que não eram objeto de ação penal, ou seja, não eram destinadas a fazer prova em processo, mas a entender e produzir conhecimento sobre a facção.

O encontro foi marcado para mais ou menos o horário do almoço, e José Márcio não tinha almoçado. Foi perguntado a ele antes de gravar se estava com fome. Ele respondeu que sim, e perguntado também se já tinha comido no McDonald's alguma vez na vida. Geleião respondeu que não tinha. Pediu-se, então, que comprassem para ele um Big

Mac, refrigerante e batata frita. Quando o almoço chegou, ele ficou maravilhado, nunca antes tinha comido hambúrguer daquela maneira. Mandou-se comprar também um chocolate Suflair, que ele também nunca tinha experimentado. Ou seja, começou-se um primeiro contato com certa interação.

No início da conversa ele estava algemado. Então, pediu-se que tirassem as algemas dele e os policiais que estavam ali ao lado estranharam muito. Não quiseram atender e foram falar com o delegado, temendo reação de Geleião. Mas insistiu-se. É claro que se pensou muito antes de fazer isso, e a situação naquele momento recomendava, não havia nenhuma razão para que ele se tornasse violento, até mesmo porque isso não fazia parte do perfil dele, ainda mais naquele momento, após fazer uma delação premiada. Além do mais, estávamos no prédio do Deic com uns 300 ou 400 policiais em volta, circulando, que entravam e saíam constantemente da sala – acho que até por medo de que acontecesse alguma coisa.

Foi instalada uma câmera grande, porque naquela época não havia as pequenas e menos intimidantes.

No início ele parecia incomodado, talvez esperando que fosse questionado sobre crimes específicos. Quando viu que a conversa com Marcio Christino, um dos autores deste livro, não enveredava por aí, ele se soltou, narrou ter sido encontrado por uma família em um barraco ainda bebê e fora criado por essa família até os 10 anos de idade. Calcula-se que já deveria ter um porte físico razoável aos 10 anos e, de certa forma, já tinha uma vivência muito maior do que uma criança dessa idade. Aos 14, Geleião já estava amasiado e, aos 18, em 1979, já estava preso. Ele deu entrada na Casa de Detenção (Carandiru) para cumprir uma pena de aproximadamente 30 anos de reclusão. Embora ele afirmasse ter sido um roubo, era mais provável que fosse um latrocínio – não conseguiu-se localizar essa informação; naquela época, os registros eram muito antigos e ainda não informatizados. Seja como for, ele foi preso pela primeira vez aos 18 anos e continua preso até hoje.

A condenação dele foi em regime fechado; ele foi para o famoso Pavilhão 9 da Casa de Detenção, terceiro andar, cela 311-E.

Geleião ficou nessa condição, habitando a Casa de Detenção por cerca de dez anos. Ou seja, ele ficou dos 18 aos 28 anos preso no Carandiru. Segundo ele, naquela época não havia nenhum tipo de regalia, não como se tem hoje, com os presos sendo tratados de uma maneira muito mais rígida.

Geleião contou que na maior parte do tempo os detentos ficavam nas celas. Soltos, apenas os faxinas[3]. Não havia rádio nem televisão. Nada. Só havia uma programação de rádio que ecoava no alto-falante do pátio e transmitia das 18 às 21 horas.

Segundo ele, em 2003 – quando foi gravada essa sua conversa –, havia mais regalias e os processos andavam de uma maneira muito mais vagarosa – provavelmente, hoje isso já deva estar mais remediado.

Geleião lembra que em 1995 começou a haver relaxamento no controle da penitenciária. A fatídica morte dos 111 presos em outubro de 1992 contribuiu para esse afrouxamento. As regras ficaram mais flexíveis, os presos não se recolhiam mais, a não ser por vontade própria. Claro, havia uma ordem mínima, mas a situação já se encaminhava para um descontrole maior.

Depois da rebelião, o Estado abdicou do poder de controle do espaço público dentro do sistema prisional. Nessa época, Geleião lembra que o Carandiru ainda não tinha tanta influência, não se configurava como uma central de grupos e facções.

Havia uma rixa dentro do sistema penitenciário. O pessoal do interior rivalizava com os detentos da Casa de Detenção e, quando este era transferido da Casa de Detenção, se bandeava para a turma do interior e vice-versa.

Ele contou que também passou por instituições de menores. Mas, na época, aparentemente essas instituições não tiveram qualquer influência ou capacidade de promover alguma forma de recuperação. O sistema social foi inapto de prever que Geleião era um criminoso em potencial e, consequentemente, nada fizeram. No seu caso, talvez tenha sido a primeira falha do Estado para com ele.

BOLEIRO

Quando ele chegou à Casa de Detenção, o "xadrez", como eles chamam as celas, só ficava aberto para quem trabalhava. Quem se dispusesse a

---

3 N. do E.: dentro do sistema prisional, "faxina" não é quem faz limpeza. É um termo específico, que determina aquele que cuida do lugar, uma pessoa que ocupa uma hierarquia mais alta.

trabalhar podia sair da cela. No entanto, a maioria não queria trabalhar – preferiam jogar bola e praticar esportes. O futebol sempre esteve presente no sistema prisional brasileiro. Por sua natureza e passionalidade, sempre gerava confusão, rivalidade e, portanto, violência.

O Carandiru era um presídio muito violento, praticamente um espelho do que se praticava nas ruas. Ou seja, reproduziam-se nas Casas de Detenção o mesmo ambiente e as mesmas condições que levaram aqueles indivíduos a praticarem crimes fora da detenção. Não havia vontade política por parte da Secretaria de Administração Penitenciária de inibir essa situação.

José Márcio, que já tinha uma disposição física muito grande, praticava uma rotina de exercícios muito forte. Contou-me que fazia de 1.500 a 2.000 flexões por dia, obviamente que nunca direto. Dedicava-se à atividade física por aproximadamente quatro horas por dia, sempre na parte da manhã, das 7 até a hora do almoço.

Depois de passar quase dez anos nessa rotina, Zé Márcio foi para a CCT de Taubaté. Sua transferência ocorreu por causa de um homicídio. Ou seja, a administração inadequada da Casa de Detenção fazia o preso incorrer novamente no crime dentro do presídio. Segundo ele, aconteceu em razão de uma "treta de rua", por um indivíduo que levou para dentro da Casa de Detenção uma briga de fora do presídio.

SOLITÁRIA

O primeiro isolamento dele ocorreu dentro da Casa de Detenção. Foram 180 dias, seis meses isolado, por ter consigo quatro pilhas que eles usavam para um rádio que não poderiam ter. Em todo esse tempo, ele tomava banho uma vez por semana e vivia sem luz, apenas com velas, que eram trocadas por cigarros. Sem janela e apenas uma porta.

RUA 10

Na nossa conversa, Geleião esclareceu um dos grandes mitos do Carandiru: a existência da Rua 10.

– O que era a Rua 10?

Era um lugar que havia em cada andar, um canto onde invariavelmente os presos resolviam suas "questões". Ou seja, quando havia uma rivalidade, quando um desafiava o outro, eles se dirigiam para a "Rua 10", e era ali que faziam o acerto de contas, geralmente numa luta de facas. A Rua 10 era nada mais, nada menos do que a última curva do pavilhão, escondida dos agentes penitenciários e, portanto, com vigilância muito mais frouxa.

Zé Márcio Felício não costumava usar faca – o confronto dele era corporal e direto, até por causa de sua superioridade física.

Havia muita briga no campo de futebol, e o que não se resolvia em campo era resolvido dentro do pavilhão, uma quadrilha contra a outra. Isso já mostra como era a vida e como era estruturada a sociedade criminosa na época, antes do surgimento do PCC. Existiam núcleos, e esses núcleos que reproduziam as quadrilhas de fora atuavam dentro da Casa de Detenção da mesma maneira. E esse aspecto foi justamente o que ele atacou quando idealizou a facção.

A soma das situações que ele narrou deu sentido ao que se convencionou chamar de ideologia do PCC. É daqui que se podem tirar as duas grandes leis que eles usaram e que foi o norte do Primeiro Comando da Capital, antes mesmo de receber o nome. O primeiro item que ele estabelece é "Sempre que existirem as condições você deve liderar, e, uma vez que você lidere, os outros vão te seguir. Lidere que os outros o seguirão".

Essa é a primeira questão que ele apresenta, ou seja, ele se coloca numa posição de líder e orienta: "Aquele que se impuser na condição de líder e se mantiver, terá o apoio de todos, então persiga a liderança".

A segunda questão era: "Fazendo pressão, o Estado cede; o Estado como entidade política não aguenta, não suporta a pressão". Então, uma vez que você lidere, faça pressão que você conseguirá seu objetivo.

Essas são as duas regras que permeiam até hoje o PCC. Um exemplo claro dessa ideologia foi a própria fundação e a rebelião de Taubaté.

O Primeiro Comando da Capital nunca foi uma turma desordenada, uma confusão generalizada. Muito pelo contrário, eles sabiam o que iam fazer. Além disso, eles estavam profundamente motivados por se considerarem vítimas de injustiças, de agentes que reagiam por mero capricho.

TAUBATÉ

Quando resolveram ficar 15 dias batendo nas portas da CCT, gritando, chamando a atenção da vizinhança – vale lembrar que a Casa de Custódia ficava dentro da área urbana de Taubaté –, a ideia era causar pressão em cima do presídio para que uma solução fosse dada.

O diretor Pedrosa acabou chamando Zé Márcio para fazer um acordo.

– Olha, se vocês ficarem quietos por seis meses, eu devolvo vocês para o sistema. Vocês saem do isolamento.

E foi isso que aconteceu. Por seis meses eles cumpriram a palavra, o que geralmente eles fazem, e em seguida foram devolvidos para o sistema.

É interessante mencionar que o Bandejão, que estava entre os 59 presos transferidos da CCT de Taubaté, vai ao presídio de Tremembé e organiza uma rebelião para exigir a transferência de Zé Márcio e do Cesinha, reforçando a importância dos seguidores.

AVARÉ

Como foi dito pelo próprio Zé Márcio, ele circulou pelo sistema prisional. Em uma de suas transferências, ele foi mandado para Avaré, na época um presídio dominado pela facção denominada CDL, Comando Democrático pela Liberdade, criada pelo detento chamado Zorro. O líder do CDL era amigo de Rato, eliminado por Cesinha em 1991. Era uma armadilha, já que a possibilidade de Geleião ser eliminado por Zorro ou a mando dele era grande.

Zé Márcio sempre quis unir todas as facções, não via necessidade da existência de vários grupos, acreditava mais na força de todos eles juntos. Mas essa sua estratégia nem sempre tinha boa receptividade.

Como admirador da palavra, fã confesso de Jorge Amado, Mário Puzo, Sidney Sheldon – *Se houver amanhã* é um de seus livros favoritos –, acreditava que conseguiria convencer os rivais de Avaré a se juntarem ao PCC.

Ao chegar, foi feita a "inclusão", uma entrevista cujo objetivo é verificar se o preso tem problemas, desavenças com algum detento confinado no presídio. É perguntado se ele quer ficar isolado, no chamado "seguro", e onde ele gostaria de tomar o banho de sol. Corajoso e pensando em sua estratégia de unificação, Geleião simplesmente diz:

– Não devo nada, podem me mandar para o meio do CDL que não tem problema.

Concordaram, e outro preso lhe ofereceu uma faca, o que ele recusou.

– Se eu pegar essa faca, aí é que eu vou dar motivo para brigarem comigo. Eu não quero briga.

Ele estava certo. Era uma armadilha – se pegasse a faca, seria morto na hora.

Ao entrar no presídio, ele vai direto conversar com o Zorro, que estava com um grupo no pátio.

– Qual é o problema? Eu não tenho nada contra você. Estou aqui, então se é para me matar, mata logo, vamos resolver aqui mesmo, agora.

Sem obter resposta a essa indagação, Zé Márcio chuta a bola de futebol para fora do presídio.

– Bom, agora vocês têm um motivo para me matar. Podem vir.

A massa vibrou e Zorro acabou desarmado. Logo ao entrar ali, dois detentos já se alinharam com Geleião pela ousadia. A pressão psicológica começou a virar, porque ele não estava mais sozinho. Tinha apoio.

No fim das contas, Zé Márcio acabou liderando e influenciando o CDL. Sua estadia não durou 15 dias em Avaré, pois a secretaria o transferiu de lá. Ele havia sido mandado para morrer, e contra toda a lógica do sistema ele "matou" qualquer resistência que houvesse contra ele.

Depois Zé Márcio foi para Presidente Bernardes, dirigido por Medina, considerado pelos próprios presos como uma pessoa que entendia como ninguém a cabeça de um detento. E, assim, Geleião ficou em Presidente Bernardes por muito tempo.

O PODER DA TEIA

Até aqui já deu para perceber quanto é importante a persuasão da comunicação para Zé Márcio. É um dos seus pilares de liderança no PCC. Ele admite que sem celular as ações da facção provavelmente não aconteceriam da maneira como ocorreram, com o vulto que tomaram.

E ser leniente com o uso do celular, mesmo sob o pretexto de usar a arma deles para rastreá-los e assim conseguir desbaratar ações ou prender indivíduos do momento é muito arriscado, pois é sabido que somente uma pequena parte das linhas é interceptada.

O primeiro celular adquirido e usado por eles, Zé Márcio conta, foi em 1998, em Sorocaba. O ano foi marcado pela "epidemia da pedra", quando o crack entrou no sistema prisional – ele foi contra o uso da droga que enlouquecia os presos e os deixava descontrolados.

Quando soube que um dos presos tinha em seu poder um celular, ele foi averiguar do que se tratava, já que não conhecia o aparelho – lembrando que Zé Márcio passou mais tempo da vida dentro do que fora do sistema prisional. Ao se informar com o colega sobre a novidade, ficou tão maravilhado com suas funcionalidades que o pegou para si.

– Agora é meu.

Não houve quem discordasse disso; o dono do celular nem discutiu, mas reclamava que Geleião só o deixava usar por poucos instantes. Zé Márcio nunca ficou sem o aparelho. Passava quase o dia inteiro se comunicando com os comparsas da organização.

A primeira grande ação realizada com o novo gadget foi orquestrada em Sorocaba. Quando chegou ao presídio, foi levado até a sala do diretor, que o encarou de mau humor e disse:

– Eu já tenho problemas demais aqui e agora vem você. Como vai ser? Vai ter problema?

– Doutor, eu não crio problema, eu resolvo problema. Se o senhor tem problemas aqui, eles acabaram.

– Vamos ver o que vai virar – afirmou o diretor, desconfiado.

Zé Márcio é levado ao pátio para a sua apresentação e já solta o aviso:

– Agora eu vou administrar isso aqui, eu que vou mandar fazer a comida, a comida vai ser do jeito que eu mandar fazer, e se alguém tiver faca aqui, vamos fazer o seguinte: ou faz o que está querendo, ou vai ser feito[4].

E foi assim que começou sua liderança no presídio. Claro que Zé Márcio já era uma lenda, então o respeito por ele era grande.

---

4 Ou mata logo, ou vai ser morto.

Pode-se dizer que de sua cela ele passou a administrar a penitenciária. Ele dizia que no dia teria feijoada e a feijoada aparecia no almoço. Em contrapartida, não havia uma briga, uma rebelião, nem uma morte. O presídio vivia em calma. Porém era bom demais para durar para sempre. Não durou.

Com a desenvoltura que tinha lá dentro, bolou uma fuga (com a ajuda do celular), mais uma vez uma ação violenta, entretanto sem êxito.

Após mais essa tentativa de fuga, a Secretaria de Administração Penitenciária reconheceu que não conseguia contê-lo e pediu autorização judicial para removê-lo para outro estado. Geleião é, então, transferido para o presídio de Piraquara, no Paraná. Com ele foram Cesinha, Misael, Bandejão e 37, entre outros membros da facção.

Depois do Paraná veio a mudança para Mato Grosso, para o presídio de Dourados. Geleião não estava achando ruim esse *tour*, pois toda mudança era uma oportunidade para o PCC se expandir cada vez mais, para que ele exercesse sua liderança em outros estados, conjurando ações e rebeliões.

No Paraná ele ficou 60 dias trancado, só depois foi para o convívio. Foi no convívio dessa penitenciária que ele começou com a ideia de enxergar o PCC como um partido. Sua liderança foi aceita no lugar, e a notícia, transmitida para Maringá e Londrina. O batismo[5] passou a ter importância crucial, porque era a porta de entrada para o partido.

Durante sua estadia no Paraná, Geleião batizou cerca de 150 pessoas. Ou seja, tirá-lo de São Paulo e colocá-lo no Paraná foi um tiro que saiu pela culatra, já que teve como consequência unicamente a evolução ou a criação de novos núcleos do PCC. Com a ajuda de Cesinha e Ismael, que foram para o Paraná na mesma época, Zé Márcio articulou o PCC no Paraná. No Mato Grosso, Geleião teve o apoio de Carambola, 37 e Bandejão, transferidos para lá, para continuar o seu trabalho de, digamos, adesão de novos membros.

---

5 O batismo foi uma ideia dos "Fundadores". É um ritual que devia ser feito para que o indivíduo fosse reconhecido como membro do PCC. Variava de acordo com cada presídio. Às vezes era feito por telefone. O batizado é sempre apresentado por um "padrinho", que se torna fiador de seu comportamento. Dependendo do caso, o "padrinho" pode até ser punido por uma traição de seu "afilhado". Geralmente, com o "batismo" o "batizado" recebia uma cópia do "Estatuto" – as regras seguidas pelo PCC e que variavam de acordo com a pessoa ou a época.

No presídio de Piraquara, Zé Márcio orquestrou sua primeira grande ação fora de São Paulo: uma fuga. Eles conseguiram se armar com granada, fuzil e outras armas pesadas e se vestiram como funcionários. Só não deu certo porque um dos funcionários reconheceu um dos presos – é fato que não é muito fácil para Geleião se disfarçar, considerando seu porte.

Eles foram cercados. A Polícia Militar do Paraná nunca tinha enfrentado uma situação como aquela. Ainda mais com um armamento pesado. Geleião e os comparsas recuaram para dentro de um pavilhão onde todos os presos imediatamente se amotinaram. A polícia cercou tudo e o comandante chamou Zé Márcio para negociar.

– Você tem dez minutos para sair.

A resposta de Geleião foi direta e desarmou o comandante.

– E vocês têm dez minutos para entrar.

Nem ele saiu, nem a polícia entrou. A rebelião durou quase dois dias. Geleião chegou a se exibir sentado em uma cadeira no teto do pavilhão – ele diz que não, que era outro preso parecido, mas ninguém confirmou essa versão.

Depois de falar com o comandante da PM, Geleião retornou para o pavilhão e disse que quem quisesse sair que saísse. Não obrigaria ninguém a ficar. Também disse que se a polícia entrasse e ele não morresse, que seria direito deles matá-lo, porque quem sobra é sempre o traidor. O acordo foi fechado. Estavam todos juntos nessa. "Tudo dominado."

Um dos presos era eletricista e Geleião teve a seguinte ideia: conseguiram dois ou três botijões de gás e os enterraram na frente do pavilhão. O eletricista os conectou a um interruptor ligado a pilhas, de forma que, quando fosse ligado, a faísca detonaria os botijões, que explodiriam. Ninguém sabia se ia funcionar. Se desse certo, quando a PM entrasse o número de mortos seria enorme. Enquanto os presos se uniam e se organizavam, lá fora o pandemônio se instalava.

Os presos não se renderam? Como assim?

Se a PM entrasse, haveria a possibilidade de baixas pelas quais ninguém queria se responsabilizar, fora a pressão da imprensa e o impacto político que uma invasão acarretaria. A solução era negociar.

Mas nem os presos queriam sair, nem a polícia queria entrar. Impasse.

Era preciso organizar uma saída honrosa entre um grupo de presos de São Paulo liderando paranaenses e um governo de Estado. Que ironia.

A situação durou até que Zé Márcio acabou negociando com, simplesmente, o ministro da Justiça, na época José Gregori (2000/2001), que deu garantia por escrito de que eles não sofreriam nenhuma violência.

Preso e ministro batendo um papo. Era a síntese do raciocínio básico de Geleião: lidere e pressione que o Estado cederá.

A garantia vinda de uma autoridade federal, o governo do Estado do Paraná, resguardava as aparências e Geleião crescia como uma figura capaz de chegar até a um ministro. Não ganhou a fuga, mas, sim, o prestígio perante os outros detentos.

Como prometido, os amotinados não sofreram nenhum tipo de agressão e terminaram a rebelião. Mas a transferência não teve jeito. Essa ocorreu. Eles foram transferidos para Bangu, no Rio de Janeiro.

PCC & COMANDO VERMELHO

Novamente Geleião inicia sua tática que cooptação. Porém, no Rio ele iria enfrentar uma resistência maior, já que ali era um feudo do Comando Vermelho e outras facções igualmente fortes e influentes.

Zé Márcio foi bem recepcionado. E a maior prova disso foi a mesada que passou a receber, fruto do rendimento de bocas do tráfico. Ele fazia parte do "time de futebol" dos próprios donos das facções e disputava partidas de xadrez, uma atividade que apreciava bastante. Mas mesmo o cerebral jogo era disputado envolvendo apostas em dinheiro, e ele presenciou disputas de xadrez pagas com carros importados.

Durante esse período, Zé Márcio toma contato com outro tipo de organização, completamente diferente do PCC, e acumula conhecimento e contatos.

No Rio, as facções focavam o tráfico. Eles lutavam por ponto de tráfico e dinheiro, e o PCC não havia sido planejado inicialmente para isso – a mudança veio com a liderança de Marcos Herbas Camacho, que eleva o PCC ao posto de primeiro quartel de drogas do país e ganha a alcunha de "Narcosul".

Com a chegada de Geleião a Bangu, a grande pergunta que ficou no ar foi: "O PCC iria atuar junto com o Comando Vermelho?". Afinal, as lideranças estavam juntas. Para esse questionamento, Geleião deu a seguinte resposta:

– Por que eu vou lutar numa guerra que não é minha? Eu seria um laranja, seria usado por eles.

Então ele entende que não ganharia nada com isso.

Do Rio de Janeiro, Geleião retornou a São Paulo, na ocasião do primeiro grande golpe que o PCC sofreu, a Operação 1, que desmantelou as centrais telefônicas e isolou as lideranças, numa tentativa de desmanchar a organização.

Como sempre um filósofo, Geleião costumava dizer, sobre toda essa movimentação, sobre sua vida, que no início o crime atrai porque é aventura, porque se consegue o que quer. Mas que, no final, é só cadeia ou cemitério.

Na última vez que Marcio Christino conversou com Zé Márcio, perguntou se ele se sentia derrotado. Ele respondeu seco:

– Não fui derrotado. Ainda estou vivo.

CAPÍTULO 10
O VÍRUS SE ESPALHA

Quando solidificou seu domínio dentro do sistema prisional, o PCC percebeu que através do celular poderia organizar ações fora das muralhas e agir fora do sistema prisional.

Na época, o principal alvo não era a prática de roubo ou crime que desse dinheiro, como o tráfico – até porque a organização não tinha um rendimento próprio. Eles não tinham um negócio da facção, formavam uma facção para melhorar as condições de seus membros nos presídios. Cada um tinha seu negócio, cada um atuava de uma maneira, e algumas vezes eles tinham interesses em comum.

O dinheiro que circulava na facção era proveniente de uma caixinha de benefícios que todos deveriam pagar para financiar as visitas aos presidiários que eram transferidos e outras questões logísticas da organização. Mas, com o fortalecimento do movimento e a possibilidade de iniciarem ações fora dos muros do sistema prisional, era preciso financiamento.

Ao contrário do que se pensa, o objetivo principal não eram as ações de grande porte contra bancos, contrabando e tráfico de drogas, mas os resgates de companheiros presos que poderiam agir na rua a favor do grupo. Note-se que não pretendiam ganhar dinheiro por fazer o resgate. O resgate era feito para que um membro pudesse agir para a organização fora dos presídios, além de proporcionar proteção a esses membros e impedir que fossem presos.

Para compreender melhor, é preciso entender a situação que existia no começo do ano 2000. Na época, quem era preso em flagrante, temporariamente, era levado para a carceragem da delegacia. E por lá ficava até que fossem disponibilizadas vagas no sistema prisional – depois isso mudou com o surgimento dos centros de detenção provisória, para onde os presos eram levados após serem autuados nas delegacias e aguardavam suas sentenças numa minipenitenciária.

Esses distritos – espaços exíguos, projetados para a detenção de poucas pessoas e provisoriamente – abrigavam uma enorme quantidade de presos, geralmente mais de cem. A situação chegou a ser crítica e as condições das detenções tornaram-se desumanas. Havia todo um controle dentro das celas dos próprios presos, porque era praticamente impossível o convívio numa cela que se destinava a quatro, cinco pessoas e que abrigava 30, 40 pessoas. Tinham, por exemplo, que dormir em turnos.

Com esse cenário propício a um amotinamento, o PCC organizava rebeliões dentro desses distritos para forçar, inclusive, a transferência de presos de um distrito para outro ou para promover sua interdição.

A polícia civil estava muito longe de achar esses distritos uma boa coisa, nas condições em que operavam. Até porque boa parte do efetivo da Polícia Civil, que deveria teoricamente estar deslocado para investigações e outras ações, era desviada para tomar conta de preso em delegacia. A equipe de plantão desses distritos se resumia a um delegado, um ou dois investigadores (geralmente um), um escrivão, um carcereiro (que era quem tomava conta desses cem presos) e um operador de telecomunicações – que naquela época usava telex. Ou seja, uma equipe exígua e, pior, mal equipada – muitos delegados compravam sua própria arma, um modelo geralmente melhor que o provido pelo Estado. Confrontar um contingente assim, com poucas armas de fogo e, ainda por cima, leves – normalmente os policiais eram equipados com revólveres calibre 38, e um ou outro usava carAbina – era fácil. Assim, não surpreende que as lideranças determinassem a realização de resgates para soltar os presos importantes que estivessem nesses distritos – o resgate nas penitenciárias era muito difícil ou quase impossível, então, se havia chance de tirar um preso da cadeia, era enquanto ele estivesse preso provisoriamente na delegacia.

Foi o que aconteceu num domingo, 8 de outubro de 2000, no 45º DP, na Brasilândia, por volta das 22h30. O distrito, localizado na periferia de São Paulo, possuía apenas uma equipe básica, ou seja, cinco pessoas. O lugar oferecia um desenho padrão de delegacia: o prédio de um lado, um pátio em L e um batalhão da PM com cerca de sete policias do outro lado, portando 38 e carAbinas. No pátio geralmente ficavam estacionados os veículos dos policiais, dos advogados e as viaturas. Às 22h30 estava praticamente vazio. Um dos policiais, aproveitando essa calmaria, ligou e pediu uma pizza. O entregador chegou rápido.

Quatro carros entraram no pátio: um Tempra preto, um Omega também preto, um Vectra branco, um táxi – que nunca foi identificado – e duas motos. Dentro dos carros havia cerca de 20 indivíduos. Estacionaram normalmente, em baixa velocidade, tentando não chamar a atenção, como se tivessem chegado para registrar uma ocorrência.

Os ocupantes desceram dos carros com calma e devagar, se espalharam pelo pátio dos dois lados. Não havia qualquer tipo de vigilância na entrada, já que naquela noite estavam apenas cinco policiais no local. Também não havia câmeras de televisão ou equipamentos de segurança de qualquer tipo ou espécie.

Pelo menos dois usavam fuzis modelo AR-15 e um fuzil padrão tático usado pelo Exército americano. Outros empunhavam pelo menos duas metralhadoras e diversas pistolas automáticas. E todos usavam colete à prova de balas – um esquema muito parecido com o que fora armado para resgatar Du em Marília. Comparados com os policiais civis, os criminosos estavam com uma vantagem além de número de armamento.

Pelo menos um dos criminosos se escondeu atrás da mureta de entrada do pátio, que o delimitava com a via pública. Sem ter ideia do que acontecia naquele instante, uma viatura da PM, conduzida pelo sargento Jorge e ocupada pelo soldado Sérgio, chegou calmamente ao distrito e entrou pela entrada principal do pátio. Eles pretendiam ir até o batalhão ao lado da delegacia. A janela da viatura estava aberta. Essa obra do acaso foi um golpe para os criminosos serem surpreendidos no meio da ação pela chegada de uma guarnição da PM.

A viatura diminui a marcha para entrar no pátio porque na entrada havia uma lombada. O criminoso que estava escondido atrás da mureta portando um fuzil AR-15 não teve dúvida: quando a viatura passou por ele, se levantou e atirou à queima-roupa contra a cabeça do sargento Jorge. Morte instantânea. O criminoso disparou novamente. O alvo era o policial que estava no assento do passageiro. Atingiu a perna, quebrando-lhe o osso. O soldado não teve qualquer condição de reação. Perdeu a consciência.

Foi a deixa, porque dados os tiros a ação começou imediatamente. As metralhadoras foram acionadas, atirando no batalhão. Em número menor e com capacidade de armamento inferior, os policiais não tiveram qualquer capacidade tática de se opor, ou seja, ficaram contidos dentro do batalhão e não puderam sair nem revidar. A maior parte deles se limitou a deitar no chão ou usar um tipo de obstáculo para tentar impedir que eles invadissem o batalhão e os matassem.

Enquanto um grupo atirava no batalhão, outros indivíduos entraram no DP e foram direto para o plantão confrontar os policias, que não tiveram chance de reagir. A ação durou alguns segundos.

Um dos criminosos desceu rapidamente até a carceragem e obrigou o carcereiro a abrir as portas de todas as celas, libertando praticamente cem presos.

Os presos começaram a fugir, num movimento popularmente conhecido no meio como "cavalo doido". Era uma correria, todos os presos correndo ao mesmo tempo.

A fuga em massa é estratégica para evitar que os policiais atirem – não o fazem por não saberem em quem atirar e por medo de matar várias pessoas e depois ter de aguentar a pressão para cima deles.

Em meio à confusão, o bando encontrou os comparsas que foram resgatá-los e fugiram, cada carro numa direção diferente. Em pouco tempo ganharam distância e se afastaram sem ser ameaçados.

A ação fora uma encomenda para resgatar Wellington Cordeiro, 19 anos, Alexandre Cruzatti, 25, e Luciano Farias, 23, o Luciano Maluco. Wellington e Cruzatti faziam parte do PCC e Luciano Maluco pertencia a uma quadrilha de Campinas, supostamente ligada a Wanderson Nilton de Paula, o Andinho. Era uma quadrilha violenta que operava com assalto a bancos e sequestros.

A investigação começou quase que imediatamente. Em minutos, integrantes de um destacamento especial da Polícia Civil, o Grupo de Intervenção em Cenário de Resgate de Presos – criado exatamente para investigar situações desse tipo –, dirigiram-se para o local. Eles ficaram impressionados com a facilidade com que os criminosos chegaram com os carros, como se posicionaram e como surpreenderam os policiais sem que ninguém desconfiasse do que iria ocorrer. Além disso, libertaram os presos rapidamente e sabiam exatamente onde era a carceragem.

Os policiais logo perceberam que havia alguma coisa errada e que provavelmente teria havido vazamento de informações, quer dizer, alguém havia dado o serviço. Resumindo, no linguajar da bandidagem tinha havido "trairagem". Alguém de dentro da delegacia tinha fornecido as informações sobre o que ocorria ali.

Passaram a reconstituir todos os fatos que tinham ocorrido nas duas horas anteriores à invasão. Recapitularam todas as pessoas que entraram e todas as que saíram. Nada escapou, inclusive a entrega da pizza.

A pizza foi o calcanhar de Aquiles da operação dos criminosos. E foi o delegado quem matou a charada. Ele interrogou o policial que fez a encomenda da pizza, que acabou admitindo que havia facilitado a fuga. Na verdade, ele nem tinha ligado para uma pizzaria, havia ligado para os criminosos que estavam esperando o pedido. Era a senha para que eles dessem início à operação. O entregador da pizza era um dos criminosos – que levou uma pizza que o bando havia comprado. Quando o "entregador" entrou na delegacia, sua missão era checar quantos policiais estavam dentro da delegacia, onde estavam e como estavam armados. Confirmou também se havia movimento no plantão e se o resgate era possível de ser realizado naquele momento. Essa informação crucial foi descoberta logo no início das investigações. Cerca de 20 horas depois já se tinha uma ideia do paradeiro dos foragidos.

A polícia partiu ao encalço deles, sabendo que estavam numa favela em Pirituba. Wellington Cordeiro e Alexandre Cruzatti, que estavam na favela, perceberam a chegada da polícia e ficaram com medo. Obviamente eles eram o objeto da caçada e fugiram. Foram perseguidos e acabaram entrando num barraco, viram que não havia outra saída e tentaram fazer uma família de refém. A polícia entrou praticamente junto com os criminosos no barraco e eles reagiram. O que se seguiu foi um tiroteio violento. Os dois resgatados acabaram morrendo em confronto com a polícia.

O terceiro resgatado, Luciano Maluco, também acabou morrendo tempos depois em um assalto em Indaiatuba, num confronto com a guarda civil da região.

Em poder de Cordeiro e Cruzatti foram encontrados alguns papéis e anotações que indicavam que o grupo de resgate tinha o apoio de uma enfermeira que providenciava socorro aos feridos da quadrilha, a Neusa A. Ela tratava dos ferimentos leves e os mais graves ela encaminhava de modo a não levantar suspeitas sobre sua condição.

Neusa trabalhava diretamente com a quadrilha de Campinas. E sua prisão levou à identificação dos líderes da quadrilha dos resgates. A principal liderança era o Claudionor, vulgo Timba, com uma ficha de antecedentes com 17 páginas – um indivíduo extremamente perigoso e envolvido em inúmeros crimes –, e Ageu, conhecido como Negrete. Os dois foram presos num apartamento de luxo na Praia da Enseada, no Guarujá. Com eles foram apreendidos fuzis, pistolas semiautomáticas de uso exclusivo das Forças Armadas, revólveres, uma BMW nova e vários aparelhos de celular.

Foi também preso Silvio Beco, conhecido como Babalu, responsável pelos pagamentos dos resgates, pelas armas e veículos. Flávio, vulgo Chabi, Marcelo Kau Japa, executores da quadrilha campineira, também foram encarcerados. Resultado final dessa ação: três resgatados mortos, os líderes da quadrilha e seus principais executores presos, e o desmantelamento da organização de Campinas.

Vale lembrar que esse não foi o único resgate orquestrado pelo PCC, mas talvez tenha sido um dos mais violentos. Depois dessa ação, nove outras ações de resgate foram executadas de modo semelhante.

Essas ações de resgate foram as que geraram os primeiros confrontos e conflitos com as polícias e que chamaram a atenção dessas polícias para a ação. Enquanto o PCC estava dentro do sistema prisional e era contido pela administração penitenciária, era um problema, mas ele não transbordava para fora. Quando ele se expande e essas ações fora dos muros dos presídios se iniciam, os órgãos de segurança passam a tomar conhecimento direto dessas atividades e realizar investigações independentes daquilo que já estava ocorrendo dentro do sistema prisional.

O mais interessante a salientar é que não havia um fluxo de informações de dentro do sistema prisional para as forças de segurança. O PCC começou, então, a aparecer para as forças de segurança pública, não só como uma quadrilha que atuava dentro do sistema prisional, mas como um grupo que agia também fora. O perfil da organização tinha mudado e, consequentemente, a ação do Estado também.

Esse movimento criou um novo problema, porque a administração penitenciária não sabia como lidar com a polícia e vice-versa, criando uma espécie de conflito de visões.

Um dado relevante que se deve ressaltar é que nessas ações de resgate foi a polícia que mais sofreu baixas. Essa conta gerou uma situação de confronto que levou a consequências extremamente graves e acabou resultando em ações contestáveis de repressão ao PCC.

CAPÍTULO 11
VINGANÇA SEM FIM

A morte dos policiais militares nesses resgates e em outras ações ensejou represálias. Nessa época, as polícias, tanto a civil quanto a militar, não tinham muita noção sobre a organização. Ainda não entendiam a mecânica da facção, não conheciam muito bem suas lideranças, suas estruturas, a história dessa organização e como ela estava organizada.

A resposta a essas mortes deveria ser só uma: investigação. Mas não foi isso que ocorreu. Pelo contrário. Ações, consideradas ilegais principalmente pela imprensa, foram colocadas em curso e tiveram repercussões muito grandes, que geraram, inclusive, processos criminais, julgamentos contra policiais militares, acusados de crimes de tortura e homicídio, dos quais muitos foram julgados procedentes e outros acabaram gerando condenações.

A posição das polícias naquele momento era a de quem se defrontava com um inimigo cuja estrutura eles desconheciam. Logo concluíram que deveriam apresentar uma resposta a isso.

O próprio Estado exigia das polícias uma resposta que fosse dada contra a ação dessa organização, que tinha transposto os muros dos confinamentos e agora se apresentava de uma maneira muito evidente e ousada para toda a população, chamando a atenção da imprensa.

Segundo o jornal *Folha de S. Paulo*, de 28 de julho de 2002, surgiu dentro da Polícia Militar um grupo de justiceiros, conforme escreveram os jornalistas Alessandro Silva e Gilmar Penteado. Eles passaram a recrutar presos condenados para se infiltrarem no PCC e, a partir do que eles lhes passavam, executavam as ações. A reportagem associava esse grupo ao antigo Esquadrão da Morte (um instrumento da época da repressão, cujo objetivo era simplesmente a execução de presos e pessoas que interessavam).

Esse grupo da PM usava grampos telefônicos judicialmente autorizados e também em troca prometiam aos presos benefícios nos processos de execução, transferências de presídios e regalias. Os presos eram realmente retirados do presídio e ficavam longos períodos entregues à Polícia Militar, que passava a cuidar deles ou usá-los para se infiltrarem em outras operações.

Segundo ainda essa reportagem, o então juiz corregedor afirmou que esses policiais militares "passaram a atuar como uma força à margem do Estado de direito, sem controle, sem fiscalização e sem lei".

É bom que se esclareça que existe aqui uma diferença muito grande entre colaboração, delação e esse tipo de ação. Para começar, a lei da delação nem existia na época. O que se fazia era retirar o preso da prisão e ordenar a ele, em troca de benefícios, que provocassem uma ação criminosa para atrair membros do PCC que estivessem fora do âmbito do sistema prisional. A questão é que nenhum desses presos sobrevivia, todos que foram levados até essas ações invariavelmente morriam em confronto com os policiais.

O que deveria deixar os policiais mais irritados é que, mesmo eliminando os membros do PCC atraídos para essas ações ilegais, a facção não enfraquecia. Basicamente porque as lideranças do movimento ficavam nos presídios.

E por que isso ocorria? Porque os policiais não tinham desenvolvido uma maneira de investigar e chegar até essas pessoas. Porém, outra linha de ação estava sendo desenvolvida pela polícia, a das interceptações telefônicas aliadas a um trabalho longo de investigação. Esse, sim, desmontou a liderança da organização, pois, além de não ser ilegal, não contava com o elemento vingança.

***

Vale a pena destacar ao menos três ações policiais consideradas controversas. A primeira ficou conhecida como "O caso do Chacal". Chacal era o apelido de Fernando Henrique Rodrigues Batista, 22 anos, que, apesar da pouca idade, era um criminoso experiente, respeitado e violento. Ele estava cumprindo pena na penitenciária de Avaré e foi contatado por um oficial da PM para ajudar a polícia nas investigações em troca de benefícios e até mesmo transferência.

Avaré era uma penitenciária considerada dura, de regime severo de contenção – lembrando que para fazer uma transferência não era preciso autorização judicial, só administrativa. A própria Secretaria de Administração Penitenciária podia mudar um preso de um presídio para outro.

Chacal aceitou a proposta do policial que o cooptou. Instruído por esse grupo da PM que se chamava Gradi – originariamente Grupo de Repressão e Análise aos Delitos de Intolerância, criado para reprimir crimes de intolerância, especialmente de racismo, discriminação –, Chacal recebeu um telefone celular com o qual passou a contatar antigos comparsas, todos do PCC.

A ideia era propor o resgate de Zé Márcio Felício. Destaque-se que, na verdade, esse resgate era falso, plantado pelo grupo da Polícia Militar e com Chacal para atrair membros da facção. Chacal acertou, então, um encontro com os antigos comparsas. Saiu do presídio com autorização judicial e marcou com eles numa casa, onde, avisou, iria apresentar quatro outros companheiros, os que havia contatado já no presídio e que estariam dispostos a partir para o resgate, fornecendo as armas que seriam utilizadas na ação.

Como Chacal era considerado uma pessoa a quem se debitava um crédito pela posição que tinha na organização, os comparsas que chamou apareceram.

Chacal intuiu que os policiais iriam prender os comparsas dele que estavam lá. Mas a verdade é que todos os membros do PCC que ali estavam acabaram morrendo, menos o membro infiltrado, Chacal, que percebeu a intenção dos policiais e conseguiu escapar pela janela da sala da casa, antes de ser morto. No entanto, momentos depois ele acabou assassinado.

Segundo o laudo do IML relativo a esse caso, 81% dos tiros foram no peito ou acima, e um desses criminosos foi morto com um único tiro na cabeça. Resultado final da ação: todos os criminosos, inclusive aqueles que eles tinham retirado do presídio, foram mortos. Isso teria ocorrido no dia 20 de julho de 2001.

Não foi diferente em 28 de fevereiro de 2002, meses depois. Dessa vez não aconteceu em São Paulo, mas em Piracicaba, mais precisamente em um posto de gasolina chamado Zelo, perto da entrada da cidade.

Segundo notícia publicada pelo *Diário Popular*[6], o tenente Fábio, o sargento Edivaldo e o cabo Estevão se passaram por traficantes de armas. Foram apresentados por presidiários infiltrados pelo Gradi para membros do PCC que se encontravam fora do presídio. Como no caso do Chacal, usaram um presidiário que já era do PCC infiltrado. Os policiais ofereceram aos criminosos cerca de 30 fuzis, 15 FAL – fuzis de assalto leve, usados pelo Exército brasileiro – e 15 fuzis M16. Acertado o preço, os membros do PCC encarregados de receber as armas e pagar combinaram a forma de pagamento e data para recebimento. Esses membros do PCC eram Luiz Carlos Marques, o Bicho, Edson Ricardo Nogueira, o Toco, e Valter da Costa Coelho, o Sapo. Os policiais foram apresentados a eles por um preso da penitenciária de Marília chamado Marcão.

Feita a encomenda, marcaram de fazer a entrega das armas. Bicho, Toco e Sapo foram ao encontro dos policiais levando US$ 50 mil, aproximadamente, e mais R$ 8 mil e seis quilos de cocaína como forma de pagamento por todo o arsenal.

Na sequência, o *modus operandi* dos policiais disfarçados seguiu o mesmo padrão do caso de Chacal. Os dois grupos se encontraram, houve um tiroteio e todos os compradores foram mortos pelos policiais no

---

6 A notícia só foi publicada em 25 de agosto de 2002, meses depois do ocorrido.

posto de gasolina. Como o estabelecimento tinha sistema de segurança, as fitas que gravaram toda a ação sumiram.

No entanto, o que os policiais não souberam é que havia um quarto elemento do PCC, um menor de idade, que ficou afastado para ver o que acontecia, já que os três compradores não tinham plena confiança nos traficantes de armas. O menor, ao presenciar a ação, fugiu e contou à liderança da facção o que tinha acontecido.

Segundo Cesinha, provavelmente Sapo conseguiu ligar para ele e avisar do ocorrido, em meio ao tiroteio. Antes de desligar o celular, uma frase pôde ser ouvida, conforme relatou Cesinha:

– Morre, PCC filho da puta.

Essa informação jamais foi confirmada porque só Cesinha a tinha.

***

A maior ação desse grupo da PM ocorreu em 5 de março de 2002, pouco depois do evento de Piracicaba. As mortes do posto Zelo não tinham nem esfriado e uma segunda ação da Polícia Militar já estava em curso.

Em 25 de fevereiro de 2002, os detentos conhecidos como Marcos e Gilmar foram soltos por ordem judicial, como os outros anteriormente, para efetuar a diligência com dois policiais militares disfarçados. Novamente contataram membros do PCC, mas, dessa vez, não era um resgate ou compra de armas que supostamente fariam. A ideia era realizar um roubo contra um avião que transportaria malotes de dinheiro, um "avião pagador". A informação que tinham era de que esse avião levaria cerca de R$ 28 milhões em notas e pousaria num aeroporto de Sorocaba.

Marcaram uma reunião em um shopping e foi decidido que haveria uma checagem do local previamente, realizada por um grupo composto pelos policiais disfarçados, três integrantes do PCC e os dois infiltrados.

De fato o grupo realizou a inspeção do local e da vizinhança. Fizeram o mapeamento, traçaram a rota de fuga e todo o planejamento, levando-se em conta, inclusive, o número de pessoas que poderiam estar presentes na escolta do tal avião. Usariam duas pickups e um ônibus para transportar o grupo todo – no fim chamaram mais integrantes da facção para ajudar.

Os policiais militares foram à frente do pequeno comboio dirigindo uma Parati. Oito homens do PCC ocupavam o ônibus que estampava o prefixo 157 – número do artigo do Código Penal que faz referência ao crime de roubo –, dois membros do PCC ocupavam uma pickup D20 e mais outros dois membros, uma pickup Ranger. O ponto de partida foi na cidade de Itaquaquecetuba, e eles saíram por volta de 5h30 da manhã em direção a Sorocaba.

Pelo rádio, os policiais da Parati comunicavam toda a movimentação do grupo à PM. Uma hora depois, às 6h30, o comboio passou a ser seguido por PMs, que ocupavam carros de passeio. O comboio seguiu até o pedágio da Rodovia José Ermírio de Moraes, conhecida como Castelinho. Ali foi montado um bloqueio com cerca de cem policiais militares. Ao chegar à praça do pedágio, a Parati com os PMs disfarçados passou. Em seguida o pedágio foi fechado e as viaturas da PM cercaram o ônibus e as pickups. Instaurou-se um tiroteio que resultou na morte de todos os membros do PCC e dos informantes infiltrados. Nenhum policial foi ferido.

Quando esse fato foi divulgado, muitos desconfiaram das condições desse confronto. Isso porque, geralmente, quando um criminoso se vê completamente cercado, dificilmente vai para o confronto, porque sabe que o risco de morte é alto. Normalmente, nesse tipo de situação ele se entrega.

Assim como aconteceu em Piracicaba, todas as fitas das câmeras de segurança do pedágio foram apreendidas e sumiram. Apurou-se depois também que esse avião pagador nunca existiu, até porque esse tipo de transporte de valores tinha deixado de circular havia muito tempo.

A ação foi denunciada à Comissão de Direitos Humanos da Organização dos Estados Americanos (OEA), porém todos os policiais que estavam no processo foram absolvidos. Reconheceu-se judicialmente a legítima defesa e estrito cumprimento do dever legal, ou seja, a ação foi e é considerada lícita.

Em abril de 2002, devido principalmente à repercussão da ação de Sorocaba, o Gradi foi extinto, ou seja, não gerou a "eficiência" que se esperava, que não era investigar e desbaratar a facção, mas sim eliminar criminosos e vingar policiais abatidos – e se as ações do Gradi foram criminosas ou não, cabe ao Judiciário determinar. É certo também que essas ações do Gradi, midiáticas, acabaram servindo paliativamente de resposta do Estado ao PCC.

No dia seguinte à ação da Castelinho houve uma cerimônia em memória ao ex-governador Mário Covas, falecido cerca de um ano antes, e o sucesso da empreitada foi comemorado como uma grande vitória do governo contra o crime organizado. Ou seja, a história que foi vendida para a mídia foi a de que o governo estava vencendo a guerra contra o crime organizado, que tinham conseguido abater membros ligados à liderança do PCC e que a organização estava combalida e em fuga.

Nada disso realmente estava ocorrendo, uma vez que os líderes da facção estavam seguros nos presídios e os membros assassinados seriam facilmente substituídos, considerando o tamanho e a influência do movimento no sistema prisional. Assim, a efetividade das ações do Gradi foi praticamente nula.

Outro resultado da ação foi que as lideranças do PCC perceberam que algo se estruturava dentro da polícia contra eles especificamente. Isso foi considerado trairagem e, portanto, haveria retaliação por parte da facção.

Certa vez, Cesinha disse que o papel deles, dos criminosos, era fazer e o da polícia era pegar. Isso fazia parte do jogo de cada um dos lados. Mas as ações do Gradi pra cima do PCC não faziam parte desse jogo, pois tinha sido uma ação de extermínio. Não era justiça, era guerra.

CAPÍTULO 12

EFEITO CHACAL

A morte de Chacal, o evento de Piracicaba e a ação da Castelinho não passaram despercebidos pelas lideranças do PCC, principalmente quando descobriram que a retirada dos presos de seus respectivos presídios foram feitas para que os membros da facção participassem de ações de extermínio contra a organização.

Cesinha também apurou que, ao ser cooptado pela PM, Chacal teria fornecido o número de alguns "irmãos" que estavam nas ruas e que os policiais estavam usando esses contatos para tentar se infiltrar no PCC, dizendo que Chacal era o padrinho de batismo deles.

Como Cesinha era muito mais esperto do que a média, chegou a todas essas conclusões e que os "irmãos" do partido tinham sido traídos e executados. Diferente, por exemplo, da ação que resultou na morte de Du Cara Gorda. Aquilo tinha sido, como eles dizem, "do jogo". Assim, Cesinha pensou no que deveriam fazer. A ideia foi formada: usariam um carro-bomba.

Porém, para que o planejamento seguisse, era necessário que as demais lideranças concordassem com o atentado. E, para isso, precisavam se comunicar.

Naquele momento, já desconfiavam que seus telefones poderiam estar grampeados, então a cautela para essas grandes ações tinha que ser redobrada. A solução encontrada foi contar com a colaboração mercenária dos advogados – prática usada até hoje. Ou seja, os advogados receberiam dinheiro para transmitir mensagens entre as lideranças.

A expectativa era de que seria o ato mais sigiloso e mais violento que eles já tinham concebido. Pegariam todo mundo de surpresa, até porque até então não havia precedente do uso de carro-bomba por uma organização criminosa no Brasil.

O escolhido para fazer a entrega das mensagens foi o advogado que aqui será chamado de Maia, e que trabalhava para Geleião e outras lideranças. Na visita foram Gulu e André Batista, o Andrezão, que era um membro em ascensão naquele momento. Por meio de Maia, Cesinha, Gulu e Andrezão mandaram um recado para Geleião, pedindo autorização para usar o carro-bomba. Andrezão, que já tinha conseguido comprar um lote de 120 quilos de explosivo, foi quem orientou os "irmãos" de fora do presídio para prepararem o veículo.

A única pessoa que eles conheciam apta a fazer o serviço – já que preparar um artefato como esse exige conhecimentos específicos de elétrica e eletrônica – estava presa e era Davi Stockler Ulhoa Maluf, o Magaiver, envolvido em roubos e extorsões. Ele era técnico em eletrônica e, graças a essa expertise, construía coletes com explosivos, detonados por rádio, e com câmeras e microfones que eram colocados nos gerentes de bancos, obrigando-os a retirar o dinheiro do cofre sob ameaça de explodir tudo. Magaiver, então, indicou seu sogro – que provavelmente foi quem o ensinou – para preparar o carro.

A primeira dificuldade surgiu quando foi preciso adquirir equipamento eletrônico sofisticado, algo que não é tão fácil fazer sem despertar suspeitas.

O responsável para fazer essa compra foi Reginaldo, o Neguinho, que estava preso em São Paulo, mas fazia o papel de ligação com o Comando Vermelho. Em razão dessa conexão com a facção fluminense, ele conseguiu o material. Provavelmente no Rio de Janeiro.

Com o material eletrônico em mãos, o sogro do Magaiver já poderia montar o carro-bomba. Só faltava encontrar um carro limpo, regular. Não podia ser roubado, que chamasse atenção, ou que fosse detido no caminho por estar sem documentação. Essa questão se resolveu numa boca de tráfico. O carro foi dado como pagamento de uma dívida de drogas para o traficante, que sabia muito bem para qual cliente viciado pedir – esse traficante acabou morrendo num tiroteio, fato que, se tivesse uma investigação sobre o fornecedor do veículo, acabaria protegendo a organização.

O carro usado foi um Ford Escort, placa BMJ-5785, de cor bege. Em seu porta-malas foram colocados 20 cartuchos de autoexplosivo comercial da marca Mag-gel e cinco quilos de autoexplosivo comercial granulado. O peso aproximado dos cartuchos era de 30 quilos, e somado com o granulado chegaria a um total de 35 quilos de explosivos plásticos. Havia também um cilindro de gás acetileno que iria gerar muita chama, fogo, impacto e deslocamento de ar. Perfazendo um total de 46 quilos de material explosivo, seria a maior explosão da história do Brasil.

A detonação seria feita via rádio com controle remoto, e a fonte de força seriam as baterias do próprio veículo. O controle remoto seria adaptado desses controles de portão de prédios e de casas.

Faltava escolher o local.

O alvo inicial foi a sede da Rota, o batalhão Tobias de Aguiar, na Avenida Tiradentes, centro da capital de São Paulo. Mas o endereço foi logo descartado porque a vigilância era muito severa, não havia como estacionar o carro. E o prédio era amuralhado, ou seja, não haveria como projetar o carro de uma maneira que ele explodisse e provocasse um grande impacto.

O segundo alvo escolhido foi o fórum da Barra Funda, o maior da América Latina, que recebe a circulação diária de cerca de 5 mil pessoas. Havia um estacionamento livre defronte a ala do Ministério Público, onde seria fácil parar o carro. O motorista que eles escolheram era menor de idade, porque se fosse pego sabiam que nada lhe aconteceria em razão da proteção legal aos adolescentes – seria levado para uma unidade da Fundação Casa, ambiente mais protegido do que um presídio.

A data foi marcada no dia em que seria julgado um dos sequestradores do publicitário Washington Olivetto. Haveria muitas pessoas por lá, além de jornalistas. Por causa dessa agenda, o PCC poderia se proteger, colocando o crime na conta da organização internacional que tinha orquestrado o sequestro do publicitário. Assim, eles poderiam dar uma negativa plausível.

No dia 7 de março de 2002, o carro foi estacionado em uma vaga próxima à entrada dos promotores. A parede da entrada nessa parte do prédio era de vidro, ou seja, a explosão seria enorme e com fogo, destruiria toda a parte da frente de vidro e avançaria para dentro do fórum.

Porém, o carro não explodiu e "dormiu" no estacionamento. Os seguranças do horário de plantão anotaram o fato no livro de ocorrências, informando que um veículo permanecia no estacionamento em frente ao prédio do Ministério Público com os faróis acesos – o garoto tinha esquecido as luzes ligadas. Não deram grande importância ao fato porque não era incomum que algum funcionário deixasse o carro lá por defeito mecânico.

O carro-bomba permaneceu ali, a céu aberto, por quase dois dias. Os seguranças finalmente perceberam que havia alguma coisa errada e chamaram a guarnição militar. O oficial chegou, olhou o carro, viu que a porta estava aberta e a abriu. A sorte desse policial foi que, ao projetarem o veículo, não colocaram nenhum tipo de gatilho mecânico na porta – quando a porta abrisse, o explosivo detonaria. Simplesmente não pensaram nisso.

Ao perceber que havia ali um sistema explosivo, o policial militar que investigava o carro fechou a porta imediatamente, isolou o local e chamou os peritos do Grupo de Ações Táticas Especiais (Gate).

Tomadas todas as providências para o total isolamento da área, os peritos desmontaram o dispositivo sem que houvesse grandes consequências.

Se a bomba tivesse explodido, teria sido o maior atentado do Brasil. Teriam morrido promotores, juízes, policiais, funcionários, público e jornalistas. Teriam morrido muito mais pessoas que nos confrontos do Gradi com o PCC. Teria sido a maior tragédia da história brasileira.

POR QUE NÃO EXPLODIU?

O laudo pericial não conseguiu determinar com certeza as razões pelas quais o carro-bomba não havia explodido. O relatório listou as causas prováveis: falha no controle remoto; distância errada entre o transmissor e o receptor; bateria fraca porque o carro ficou com os faróis ligados; e erro na montagem.

A mais provável das explicações é a questão da distância entre o acionador (o indivíduo que estava com o controle remoto) e a bomba – talvez por medo de ser atingido ele tenha tomado uma distância muito grande do carro. Deve ter tentado várias vezes acionar o dispositivo, mas não conseguiu e acabou desistindo com medo de chamar atenção, por estar apertando um controle de garagem no estacionamento do fórum – mal sabia ele que poderia ter feito isso e ninguém desconfiaria de nada, porque simplesmente não havia vigilância nenhuma. Hoje existe, mas não naquela época.

O erro não foi técnico, a falha foi humana. No caso, um menor que não estava preparado para executar essa ação da maneira como havia sido planejada.

O impacto [não só físico] que essa detonação causaria seria incomparável, ainda mais num momento em que o Estado proclamava pelos quatro cantos que o PCC estava perdendo terreno, se encolhendo. O impacto midiático seria enorme, muito mais efetivo do que qualquer outra ação que as polícias tivessem feito, sem contar os danos políticos causados por essa explosão. O fato de a ação ter falhado não impediu que outras ações fossem determinadas contra fóruns, inclusive por ordem do Cesinha. O fórum de Itaquera foi atacado, não com bombas, mas com metralhadoras, revólveres, pistolas e até granadas. Também foram atingidos os fóruns de Osasco – na Grande São Paulo – e de São Vicente – litoral sul de São Paulo, área dominada por Gulu.

No atentado do litoral, foi feita a primeira vítima fatal dessa leva de ataques. O advogado Antônio José da Silva recebeu uma rajada de metralhadora. Fidélis, membro do PCC que atirou em Silva, jogou uma granada no átrio do fórum, que felizmente não explodiu, e deixou uma mensagem no chão:

"Os oprimidos contra os opressores; enquanto não pararem as covardias e os maus-tratos nos sistemas penitenciários, não pararemos nossas ações sem limites. Estamos fortes como nunca. Estamos nos fortalecendo mais com as opressões que eles botam em cima da gente. Pode aguardar, seu Nagashi.
Assinado: 1533 PCC."

Nagashi, nesse caso, seria o secretário de Administração Penitenciária.

Esses atentados só pararam quando foi deflagrada a Operação Um, com a colaboração de Marcola, que forneceu os números dos celulares de Cesinha e do Geleião. Expostos, os dois foram isolados e transferidos para o CRP Presidente Bernardes. Com isso, ele assumiu sozinho a liderança da facção.

Marcola fez o que fez porque não queria que os atentados fossem atribuídos a ele. Garantiu que "os atentados acabariam", mas não foi bem isso que aconteceu.

***

Em 21 de outubro de 2002, Geleião já estava no Centro de Reabilitação Penitenciária de Presidente Bernardes e de lá decidiu que os atentados continuariam – ele e Marcola iniciavam assim uma forte disputa pelo comando do PCC.

A mensagem, dessa vez, não foi passada por nenhum advogado. Dona Petronilha, esposa de Geleião, e Aurinete, mulher de Cesinha, conhecidas como as "primeiras-damas", foram as porta-vozes e transmitiam as ordens dos "Fundadores". Petronilha transmitiu a ordem para Nilson Faísca, um criminoso com habilidade em explosivos. Ele tinha em seu poder 30 quilos de explosivos e daria a ordem da penitenciária de Iaras, na região sudoeste do Estado de São Paulo, onde estava preso, para usá-los na operação.

O diálogo gravado entre a esposa de Geleião e ele foi curto:

– O Zé Márcio quer uma festa por dia – disse Petronilha.

Uma festa por dia era um código que significava praticar um atentado por dia.

– Pode deixar, madrinha, a gente vai fazer, o que ele manda é ordem para nós. Onde vai ser?

– Queremos uma festa no cofre, na caixa.

Nilson Faísca não entendeu a referência.

Depois de tentar explicar e dar indiretas, Petronilha cansou e disse:

– A bomba tem que ser colocada na frente da Bolsa de Valores, que fica no centro de São Paulo.

A intenção era clara: gerar impacto não somente no âmbito jurídico, mas também no econômico. Um atentado na Bolsa de Valores teria repercussão mundial. No fórum talvez tivesse, mas na Bolsa afetaria os mercados, provocaria consequências das mais diversas. Até porque os fóruns, a essa altura do campeonato, já eram bem guardados. A Bolsa não tinha uma segurança capaz de fazer uma oposição a um ataque coordenado do PCC.

Petronilha e o Faísca não sabiam que a ligação havia sido interceptada. Nessa época, o sistema técnico de interceptação de celulares da polícia já estava evoluído. Porém, com o isolamento de Geleião em Bernardes limitando muito as pessoas que podiam estar em contato com ele, as investigações ficaram ainda mais fáceis.

A Bovespa foi avisada imediatamente. Se fossem colocados 30 quilos de explosivos dentro da Bovespa, o prédio seria destruído. A quantidade de mortes, indeterminada.

Petronilha tinha de ser localizada e detida. Porém, isso não foi possível de imediato. Naquela época, o sistema dos celulares ainda não permitia que se fizesse uma geolocalização de seu portador. Porém, cedo ou tarde ela retornaria para visitar o marido.

A investigação se tornou sigilosa, por isso pouquíssimas pessoas sabiam o que ocorria. Foi um jogo de espera. Dez dias depois dessa ligação, Petronilha chegou a Presidente Bernardes para uma visita a Geleião. A visita se realizou normalmente, mas, quando saiu, ela foi presa. Havia inclusive mandado de prisão expedido. Petronilha foi levada para São Paulo, na sede do Departamento Estadual de Investigações Criminais (Deic).

Muito embora essa prisão não tivesse sido noticiada nos meios de comunicação, a notícia se espalhou rapidamente dentro dos presídios, assim como a prisão dos comparsas de Faísca que estavam fora dos presídios e a transferência e isolamento de Nilson.

A prisão da "madrinha" a transformava em alvo de investigação. E se a bomba explodisse? Seria imputado a ela também como mandante. Zé Márcio Felício jamais permitiria que Petronilha fosse presa e que a explosão fosse debitada na conta dela – ele não ia admitir isso. Por isso a prisão de uma das primeiras-damas amedrontou os criminosos, que desistiram da ação.

Os 30 quilos de explosivo foram abandonados num Gol, no km 91 da Rodovia Anhanguera, sentido capital. Depois disso o PCC mudou o perfil de suas ações. Bombas não mais.

CAPÍTULO 13
A OPERAÇÃO

Marcos Willians Herbas Camacho, o Marcola, nasceu em Osasco, mas foi criado na região do Glicério, no centro de São Paulo. Desde cedo ele era um trombadinha, um infrator que praticava pequenos delitos no centro da cidade. Seu apelido vem de uma contração de "Marco cheira cola", Marcola.

César Augusto Roriz, o Cesinha, foi criado junto com Marcola desde pequeno. Cesinha praticava pequenos delitos com o amigo. Eles fizeram carreira no crime e subiram praticamente juntos à cadeia hierárquica da bandidagem.

Maduros, ficaram conhecidos por assaltos a bancos. Roubavam bancos com quadrilhas e, geralmente, faziam o papel mais violento da gangue, entrando na agência com arma em punho, gritando palavras de ordem e tomando o dinheiro dos gerentes. Normalmente essas ações eram violentas e bem planejadas, tanto que eles nunca foram presos durante essas atividades. E, assim, conseguiram fazer fama no ambiente do crime.

***

Marcola foi preso duas vezes em circunstâncias meramente ocasionais, não por resultado de investigação da polícia.

Na primeira vez, ele tinha acabado de roubar um carro e o havia estacionado em uma barraca de frutas. Quando a polícia cruzou com ele e viu o carro roubado, deu voz de prisão. Ele até esboçou uma reação, mas acabou sendo preso e condenado. Depois saiu, porque era primário.

O carro que tinha roubado seria usado no dia seguinte, na prática de algum roubo a banco, já que essa era a metodologia que eles empregavam na época. Não confiavam em ninguém, por isso eles mesmos roubavam os veículos.

***

Vaidoso, gostava de se vestir bem, de ter carros novos e modernos, de aparentar status. Usava relógios caros, tênis de grife, camisas da moda. Esse comportamento fez com que ele tivesse outro apelido: Playboy.

Era um assaltante respeitado, conhecido – depois de ser preso, também passou a ser conhecido pela polícia.

Marcola foi um dos cabeças de um dos roubos mais ousados da história do crime em São Paulo: o chamado roubo da Transpev. Na verdade, foi uma extorsão ocorrida em 2 de julho de 1998. O crime envolveu várias pessoas e uma estrutura – foi criada uma quadrilha com divisões de funções, hierarquia, um modo de atuação que ninguém havia conhecido antes.

O crime começou a ser planejado a partir das informações trazidas por um indivíduo chamado Luiz Carlos Pereira, que tinha trabalhado em diversas empresas de transporte de valores, inclusive na Transpev. Ele trabalhava como vigilante na sede da empresa, no período noturno, considerado o mais perigoso. Pereira decidiu que já era tempo de receber alguma coisa. A vaidade, o desejo e a ambição de ganhar muito dinheiro o levaram a planejar um roubo. E, claro, a Transpev era o alvo preferencial e fácil, já que trabalhava na empresa.

As bases dessas transportadoras concentravam todo o dinheiro que iriam deslocar. Sabendo disso, Luiz Carlos Pereira decidiu procurar um contato, um indivíduo conhecido como Siloel, que, por sua vez, indicou um segundo. No submundo do crime, notícias como essa acabam correndo na boca do povo, e esta chegou aos ouvidos de Alejandro Juvenal Herbas Camacho, o Gordo, irmão de Marcola, também seu companheiro de crime. Alejandro, por sua vez, informou o irmão da situação, que se configurava como uma boa oportunidade para se executar um grande roubo.

A ideia dele era invadir a Transpev com arma em punho, metralhadoras e outros armamentos sofisticados aos quais eles tinham acesso, mas que não era o estilo refinado de Marcola. Porém a ação não teve nada a ver com arroubos hollywoodianos. A primeira coisa que eles fizeram foi pedir a Luiz Carlos um levantamento sobre todos os funcionários que trabalhavam no turno da noite. Luiz Carlos entregou os nomes, as fotografias e os endereços de todos eles. Também providenciou um levantamento sobre as operações da empresa. Ou seja, que dia da semana ela teria mais dinheiro, de que forma esse dinheiro era armazenado, se em notas grandes, pequenas, num cofre, num banco, num carro.

Com essas informações na mão, Marcola se concentrou em dois alvos principais: Cerpa, o coordenador de segurança, e Genício, o encarregado de segurança. Os dois representavam as maiores graduações do quesito segurança na Transpev.

Cerpa morava num condomínio de prédios chamado Novo Butantã, na Estrada da Cachoeira, um bairro relativamente bom em São Paulo. Então, alugaram um apartamento no prédio para monitorar o cotidiano da família e para, quando fosse o caso, entrar no apartamento do Cerpa sem ter que invadir o prédio. Eles entravam e saíam sem serem molestados, sem serem vistos ou apreendidos como suspeitos.

Também passaram a vigiar todos os que estavam trabalhando na segurança no período noturno. Eles se escondiam feito *paparazzi* e observavam as pessoas, tiravam fotografias dos funcionários e de seus familiares.

Levou tempo, mas a quadrilha conseguiu montar um dossiê de cada funcionário. Ou seja, eles tinham acesso total a todos os funcionários de segurança que trabalhariam na noite do crime. A ação começou com a invasão do apartamento do coordenador de segurança. Fizeram a família dele refém e os levaram para o apartamento que tinham alugado.

Cerpa ficou em seu apartamento sem saber para onde tinham levado sua família. Então lhe foi dado um colete equipado com um aparelho de rádio, um sensor e, supostamente, explosivos que poderiam ser ativados a longa distância. O que se exigia dele é que fosse com vários criminosos até a base da Transpev, na Avenida Jaguaré, e liberasse a entrada deles. Também que ele entrasse em contato com os funcionários e os avisasse que criminosos estavam em poder de sua família, para que não reagissem ou avisassem alguma autoridade. E assim foi feito.

O gerente foi levado até a Transpev e garantiu a entrada deles dentro da sede. Os carros usados foram uma perua Mercedes e três carros grandes, que aparentemente não chamariam a atenção caso fossem interceptados.

Ao entrarem na sede da empresa, Cerpa chamou os seguranças e disse:

– Minha família está sequestrada. Vocês sabem o que está acontecendo, nós vamos levar o dinheiro.

Nesse momento, para garantir o convencimento dos seguranças, os outros sequestradores mostraram as fotografias da casa e da família de cada um dos funcionários e os intimidaram:

– O que acontecer com a família dele vai acontecer com a sua também. Nós não queremos machucar ninguém, só queremos o dinheiro. O dinheiro não é de vocês, não vale a pena resistir por conta disso.

Os seguranças não tiveram qualquer condição de se opor a esse roubo. Eles entregaram o dinheiro, R$ 15 milhões, em 1998[7]. Além desse montante, no apartamento alugado onde estavam os reféns, os sequestradores fizeram uma limpeza minuciosa, e não só no sentido figurado. Eles usaram detergentes e produtos de limpeza químicos para não deixar nenhum vestígio. A única coisa que ficou no apartamento foi um micro-ondas. Mais que limpo, o apartamento foi esterilizado.

Depois da ação, a família foi solta, o colete de Cerpa retirado, eles fugiram e a polícia foi acionada. Um crime [quase] perfeito, R$ 15 milhões sem dar um tiro. Não houve violência, mas inteligência e método.

Mas todo crime tem sua falha, sua imprevisibilidade. Duas coisas chamaram a atenção, e o trabalho policial foi impecável em reconhecer as falhas. Os delegados Alberto Pereira Matheus e Ruy Fontes, da Delegacia de Roubos a Bancos, chefiaram a investigação.

---

[7] Em 2017, algo em torno de R$ 44 milhões.

A primeira coisa que fizeram foi verificar o lixo do apartamento alugado para ver se encontravam algum vestígio, alguma pista. Acharam o recibo de óculos da marca Porsche com a data do crime. Os óculos eram da moda, objeto importado caríssimo. O recibo revelava que tinha sido levado para conserto numa determinada loja. O objeto não pertencia a ninguém da família que ficara cativa no imóvel, de forma que se presumiu que era bem possível que fosse de um dos assaltantes.

Foram à loja e perguntaram quem tinha deixado os óculos para consertar e se já havia sido retirado. Sim, já havia sido retirado e a pessoa não tinha deixado telefone, mas deixou um bipe – um aparelho de comunicação que se usava muito naquela época para deixar recados.

Pelo número do bipe a polícia chegou à pessoa com as características de um dos assaltantes: Marcos Willians Herbas Camacho. Um dos maiores assaltante de banco tinha sido identificado a partir de um recibo de conserto de óculos.

Além dessa descoberta, os delegados já sabiam, pelas investigações, que alguém de dentro da empresa tinha participado. Provavelmente alguém do turno da noite, período em que foi realizado o assalto. A investigação acabou levando à identificação de Luiz Carlos Pereira.

Pereira foi peça-chave para identificar todos os membros da quadrilha. Alejandro Camacho foi preso em seu apartamento e, com ele, apreendido vasto armamento sofisticado, fuzis e explosivos.

A investigação começou a chegar perto de Marcos Willians, que fugiu para o Nordeste. Por lá ele acabou se envolvendo num roubo que aparentemente não deu certo. A situação estava ficando difícil pra ele. A polícia estava apertando o cerco, então ele resolveu sair do país. Foi para o Paraguai, levando sua parte no roubo da Transpev. No país vizinho, Camacho arrumou um sócio local que o ajudava nas ações, cujo nome ninguém sabe até hoje.

As investigações continuavam por meio de oitivas e de interceptações telefônicas. Mas as informações começaram a ficar escassas. O que mais se sabia de Marcola era que, por ser muito vaidoso, ostentava isso com símbolos caros de status.

Certo dia, ele dirigia um Chrysler Stratus, um modelo importado muito caro, muito grande e muito cobiçado. E, ainda por cima, era de uma cor chamativa: vinho. A notícia do novo carro de Marcola passou a correr pelo submundo.

Alguns investigadores do Deic haviam ido até Campinas atrás de uma pista de Marcola, e lá eles estabeleceram uma base para instalação de uma linha telefônica interceptada. Como a base teve que ser instalada *in loco*, quando estavam voltando para São Paulo, na marginal Tietê, eles se depararam com um Chrysler Stratus de cor vinho. A placa do carro estava meio desalinhada, então os policiais desconfiaram e o seguiram.

Naquela época, a via tinha pequenas ilhas, pequenos locais de descanso onde havia orelhões. O Chrysler parou num desses orelhões e os policiais pararam também, mas a uma certa distância. Quando um homem saiu do carro, eles o identificaram: era Marcola.

Os policiais então agiram, foram pra cima dele. O Chrysler Stratus fugiu, mas o Marcola ficou. Quando os policiais o abordaram, ele declarou:

– Não, eu sou fazendeiro.

Marcola apresentou documentos falsos e manteve sua história. Os policiais ficaram apreensivos com aquela abordagem porque um deles estava desarmado e Marcola poderia ter apoio por perto, talvez uma escolta que poderia voltar para resgatá-lo. E também eles não tinham certeza absoluta de que aquele era mesmo Marcola. No fim da década de 1990, existia ainda precariedade para identificação de suspeitos. Os policiais resolveram checar pelo rádio. Mas aquela situação estava demorando demais, então um dos oficiais se irritou e falou:

– Quer saber de uma coisa? Eu corto meu saco se você não for o Marcola.

E deram voz de prisão a ele, que aceitou, ficou tranquilo.

Camacho foi levado para o Deic e depois admitiu que era mesmo ele. E, assim, mais uma vez ele foi preso e permanece encarcerado até hoje.

Depois de identificado, foi levado para o lugar onde se colocavam os presos de alta periculosidade: a CCT de Taubaté. E lá, quem ele encontrou? Cesar Augusto Roriz Silva, o Cesinha, o amigo de infância e antigo parceiro de roubo, e Zé Márcio Felício. Ou seja, Camacho sai da atividade criminosa e cai justamente no cerne da organização criminosa mais poderosa e perigosa.

***

Ao chegar a Taubaté e encontrar a nova turma de Cesinha, a princípio Camacho não quis participar do PCC. Ele permaneceu como tutelado, um protegido de Geleião, pois tinha receio de sofrer algum revés no presídio. Ele acabou tomando parte de algumas ações, mas de início não se filiou, tanto que não é da turma dos "Fundadores". Numa ocasião ele disse:

– Cesinha, você vai, monta, eu fico do lado de fora e, se precisar, depois eu te tiro de lá – ou seja, estava querendo dizer que se algo desse errado ele o ajudaria depois.

Quando percebeu que a situação permitia a ele se filiar e que a organização estava se desenvolvendo, aliou-se e participou ativamente de seu desenvolvimento, promovendo melhorias. Ele se envolveu tanto com a facção que resolveu se tornar um de seus líderes.

Depois de ascender à liderança, o vaidoso Marcola, o Playboy, almejou mais. Ele queria ser o líder do PCC. Mas de que maneira ele neutralizaria Cesinha e Geleião? Ele virou um informante – foi ele quem entregou para a polícia os números dos telefones usados pelo Zé Márcio e por Cesinha. Foi ele também quem indicou a existência das centrais telefônicas.

É preciso esclarecer que, paralelamente a essa estratégia de Marcola, de neutralizar Geleião e Cesinha, tornando-se um informante do sistema, o sistema também tomava decisões para conter os dois, que eram fortes lideranças dentro do PCC, mais fortes que Marcola naquele momento.

O secretário Nagashi tinha o plano de implementar o Regime Disciplinar Diferenciado (RDD), que isolava os presos mais perigosos do contato com os demais: tomavam banho de sol só uma hora por dia, ficavam em celas unitárias sem comunicação, com visitas e acesso controlados. Era algo que não existia no Estado de São Paulo naquele momento. Seria um presídio onde realmente a comunicação entre presos não seria permitida. Além da criação do RDD, o secretário de Administração Penitenciária construiu também o Centro de Readaptação Penitenciária (CRP) de Presidente Bernardes, noroeste do Estado de São Paulo, que abrigaria as principais lideranças e foi projetado para um isolamento rigoroso. O regime deu tão certo que depois foi replicado pelo país.

Cesinha e Geleião sabiam que, por estarem em evidência, poderiam ser levados para lá. Nas próprias interceptações telefônicas eles comentavam isso.

– Você sabe que vai para Bernardes e dizem que lá o bicho pega – disse um preso a Cesinha.

– É, estou sabendo.

Em meio a essa suspeita de serem transferidos para um presídio mais rigoroso, veio o golpe fatal: a descoberta, pela polícia, das centrais telefônicas.

Pelos telefones que Marcola havia fornecido, por meio de sua advogada na época, Ana Olivatto – assassinada tempos depois –, usados por Geleião e Cesinha, chegou-se às centrais. E elas iriam revelar o que os membros do PCC estavam tramando. Foi um grande passo no combate à organização.

***

O telefone do Geleião revelou que ele ligava para uma mulher que fazia a transferência das chamadas – Sueli Maria Resende foi a "inventora" das centrais, ela sabia usar os telefones celulares muito bem e se declarava uma admiradora de Geleião. Na época em que estava preso em Sorocaba, ela ligou para o telefone dele, ainda um pré-pago, e fez a ligação sem que ele tivesse de comprar créditos. Geleião adorou essa iniciativa e fez amizade com Sueli, que acabou se tornando sua "operadora" particular. Suely, vulgo Mãezona, chegou até a viajar ao Paraná levando armas para a fuga frustrada de Piraquara. Depois de sua iniciativa, todos copiaram o sistema e o PCC passou a se estruturar em função dessas ligações.

Pela interceptação da central da Mãezona, chegou-se às outras centrais, porque havia mais de uma.

Certa vez, uma pessoa ligou para a central de Sueli, a Mãezona, e pediu para falar com outro membro da organização, ao que Sueli respondeu:

– Ah, sua filha da puta, não é essa central, é outra.

Foi assim que a polícia descobriu a existência de outras centrais.

E assim a interceptação foi revelando uma após a outra, num efeito dominó. Chegaram a descobrir cerca de 30 centrais.

Nesse momento, é interessante verificar que o desenho do PCC era caótico e nada organizado, como sempre se fez crer. E a escuta das centrais mostrou isso.

Os detentos usavam o aparelho para ligações mais variadas, de ações a combinar às suas "fitas". "Assalta isso... Pega o dinheiro lá... Pega a droga sei lá onde... Faz não sei o que pra mim..." Até sexo pelo telefone as escutas pegavam.

Não havia uma organização, uma ordem, uma hierarquia dentro dessas estruturas. A única hierarquia que havia era com relação aos "Fundadores" Cesinha e Geleião e ao que eles determinavam, que era absorvido como ordem e lei. Mas quais foram as sequências? O que se descobriu naquela época com as interceptações telefônicas?

Primeiro apurou-se que eram inúmeras as centrais telefônicas. Das 30 computadas, 15 estavam em São Paulo e as outras se encontravam distribuídas por Guarulhos, Araraquara, Arujá, Campinas, Embu das Artes, São Vicente e Indaiatuba. Com exceção de Araraquara, todas eram próximas da capital.

Também foi possível, através das centrais, acompanhar como os ataques eram organizados. Por exemplo, o atentado praticado na comarca de Sumaré em 15 de março de 2002, quando membros do PCC atacaram uma delegacia de polícia e mataram dois policiais. Eles foram à noite, em grande número, surpreender a guarnição policial civil, que era relativamente pequena. O objetivo não era roubar, mas matar, agir como as organizações terroristas internacionais que vemos hoje.

As ações também tinham o objetivo de atemorizar o Estado e causar uma sensação de insegurança e perturbação da ordem. Fazer com que as pessoas tivessem medo e soubessem que existia uma organização que conseguia matar policiais dentro da delegacia.

Outra ação cuja montagem foi captada pelas escutas foi o atentado ao Fórum Regional de Guaianazes, em 18 de março de 2002. Essa sequência de ataques a fóruns virou um padrão da organização, porque era um tipo de lugar desguarnecido, que não foi projetado para resistir a ações criminosas.

Ao mesmo tempo em que Cesinha determinava essas ações violentas, Geleião pensava em outro tipo de ofensiva, maior, mais impactante. Ele queria uma nova megarrebelião, agora envolvendo todos os presídios, para demonstrar a força da organização. Ele não acreditava que os pequenos crimes fossem contribuir para o objetivo deles. Porém, de alguma maneira, ele acabou sendo convencido pelos outros líderes de que as rebeliões não teriam resultado nenhum.

Embora todos fossem comandados por Zé Márcio e Cesinha, as lideranças de escalões abaixo das dos "Fundadores" tinham seus negócios e cada um operava à sua maneira. Havia um caixa geral que era o André. Essa informação também foi descoberta por meio das interceptações telefônicas, que ainda revelaram outras lideranças, como Emerson de Almeida, o General. Muitos pensavam que a palavra General se referia a um posto dele dentro da organização, mas não, General era um apelido.

Outra liderança de terceiro escalão descoberta pelas escutas foi a de Reginaldo Almeida de Danelucci, vulgo Neguinho, que era a ponte entre o PCC e o Comando Vermelho, do Rio.

Há uma passagem icônica do jogo de poder entre o PCC e a polícia. Danelucci estava se dirigindo a um dos policiais no corredor do Deic quando foi levado para ser indiciado. Neguinho solta a seguinte frase para o delegado:

– Eu estou vendo que você tem família, não é? Você tem aliança. Olha, quem tem família tem que ter cuidado, então, me tira dessa.

E o delegado respondeu:

– Neguinho, sabe qual é a diferença entre mim e você? É que eu sei onde está sua família, mas você não sabe onde está a minha.

Neguinho abaixou a cabeça, miou, e não falou mais nada. Acabou sendo indiciado.

ADVOGADOS S.A.

Quando Cesinha e Geleião perceberam que as centrais telefônicas estavam comprometidas, passaram a usar seus advogados também como garotos de recado para as ações mais relevantes e especiais do grupo.

O profissional mais acionado era Anselmo Neves Maia, que, obviamente, recebia pagamentos por isso. Outra função dele era fazer com que os telefones chegassem aos líderes através de suborno.

Advogadas também se prestaram a esse papel, como Leyla Maria Alambert e Mônica Fiori Hernandes. Dra. Leyla trabalhava para Gulu e agiu no caso do sequestro da filha do Pedrosa. Por essa intervenção – descoberta por uma escuta, como já citado aqui – ela foi presa.

Mônica Fiori Hernandes fazia o monitoramento das condições dos membros do PCC nos presídios e informava as lideranças sobre isso. A ela também foi dada uma missão: identificar uma ex-operadora de central telefônica que teria traído o PCC, que teria agido como informante. A advogada cumpriu a missão e identificou a ex-membro como sendo Maria Silvia Anunciação Rodrigues. Ela, então, entrega a identificação para Bilica e, 24 horas depois, Maria Silvia de Anunciação é vítima de homicídio.

O LEGADO DO FIM DAS CENTRAIS

O mais importante das interceptações foi revelar à polícia como o PCC se desenhava, a sua estrutura.

Graças a essa operação da polícia, foram expedidos vários mandados de busca e apreensão e foi executada a Operação 1, que consistiu na prisão de várias pessoas que eram operadores das centrais. Sueli Maria Resende, a Mãezona, foi identificada e presa por formação de bando e quadrilha. Apesar de a pena ser pequena, permitia a prisão temporária.

A amplitude da ação foi gigante: quase 600 policiais participando e inúmeros mandados de prisão. Autoridades policiais e do Ministério Público se dividiram em vários grupos, uns foram até a região de Campinas onde ficava a Sueli, e um dos autores deste livro, Marcio Christino, foi à casa da tia do Marcola, mãe de criação dele, porque a interceptação havia revelado uma conversa dela com o sobrinho sobre uma encomenda que Fernandinho Beira-Mar tinha enviado. Como falavam por códigos, não se sabia o que era. Chegou-se ao endereço com um mandado de busca e apreensão. A casa foi revistada de cima a baixo e não havia nada ali. A diligência fora infrutífera.

Depois foi-se à casa de Cynthia Giglioli, que era a namorada do Marcola na época. Interessante é que na casa da Cynthia nada também foi apurado. A casa era guarnecida por câmeras de televisão. Foi feita a diligência e nada foi encontrado, exceto roupas de luxo. Mas o telefone, que funcionava como rádio e era um dos pontos de central telefônica do PCC e seria a grande apreensão da diligência, já não estava mais lá. Provavelmente haviam sido alertados de que as ações estavam ocorrendo.

Depois das prisões das pessoas e das apreensões das centrais telefônicas, as autoridades envolvidas retornaram ao Deic e começou-se a fazer os rescaldos das informações. As agendas dos telefones facilitaram muito o trabalho, pois revelavam quem era quem, porque as operadoras anotavam em agendas os nomes dos presos com os apelidos e telefones que usavam.

A organização sofria o primeiro grande revés. Cesinha e Zé Márcio foram levados ao Deic. Cesinha, como sempre, de cabeça erguida.

– O que eu fiz eu falo e não entrego meus companheiros – era seu discurso padrão.

Zé Márcio chegou desconfiado, não falava nada. Marcola foi levado para o Deic mais como um disFarce – foi ele que forneceu o número dos telefones das centrais para o Deic, e nesses números e nas interceptações ele simplesmente não aparecia. Nem faziam referência a ele, razão pela qual não poderia ser acusado de participar da quadrilha. Ele retornou para o sistema penitenciário sem nenhum prejuízo. Sua intenção de isolar lideranças tinha sido bem-sucedida, enquanto ele permaneceria ativo na organização. Depois dessa ação, Geleião e Cesinha foram isolados pela primeira vez em Presidente Bernardes.

Da mesma forma nomearam Jonas e Sombra para assumirem os lugares deles quando foram transferidos para o Rio. Agora, isolados no RDD, eles tinham que eleger outros pilotos. Escolheram Marcos Herbas Camacho, o Marcola, e Sandro Henrique da Silva Santos, o Gulu.

A teia tinha funcionado perfeitamente. Marcola, como uma aranha estrategista, pensando nas vítimas que cairiam no futuro em sua armadilha, tinha conseguido que os dois únicos presos de liderança que estavam acima dele fossem isolados e perdessem o contato com os demais. Naquele momento ele se tornou informante e deu as informações que eram necessárias para que outros fossem isolados.

E finalmente havia uma primeira denúncia contra Zé Márcio e Cesinha, de formação de quadrilha pela liderança do PCC que fora feita anos atrás pelo promotor Gabriel Cesar Zaccaria De Inellas, mas que havia sido rejeitada. Dessa vez a denúncia foi aceita e a história se refez, provando que já naquela época o promotor tinha razão.

CAPÍTULO 14

O MESTRE TERRORISTA

Em 1974, por determinação do então dirigente de Cuba, Fidel Castro, um grupo de chilenos que viriam a se tornar um segmento armado do Partido Comunista Chileno, curiosamente PCC, foi treinado em Cuba, na Bulgária e na Alemanha Oriental. Em seu histórico, esses militantes contavam também com aperfeiçoamento nas escolas militares cubanas, e muitos lutaram na Nicarágua ao lado da Frente Sandinista de Libertação, chegando a se integrar no que se tornou o serviço de inteligência daquele país. Os demais retornaram ao Chile, onde constituíram a Frente Patriótica Manuel Rodrigues, à qual é atribuída a realização de 7 mil atentados entre os anos de 1983 e 1987.

Entre as principais ações do grupo FPMR está o sequestro do coronel Carlos Carreño em 1987, depois libertado em São Paulo, demonstrando que o grupo conseguia se articular internacionalmente e tinha vínculos estruturais no Brasil. A morte do senador Jaime Guzman e o sequestro de Cristian Edwards Del Rio, filho do proprietário do maior jornal do Chile, o El *Mercurio*, também foram outras ações de peso do currículo dessa organização.

Vários membros desse grupo foram julgados e quatro de seus líderes foram presos dentro de um presídio de segurança máxima no Chile, de onde foram resgatados. Foi uma ação espetacular que contou com o auxílio do IRA, o Exército Republicano Irlandês, que emprestou pilotos para o resgate desses integrantes sobrevoando o presídio de helicóptero. Entre os resgatados estava o líder operacional da frente, ou seja, o encarregado da organização e da execução das ações, Mauricio Hernandez Norambuena, condenado duas vezes a prisão perpétua pela morte do senador Jaime Guzman e pelo sequestro de Cristian Edwards Del Rio.

Norambuena recebeu do Exército cubano uma patente de coronel pelo treinamento que fez em Cuba. No Brasil, a autoria dos sequestros do empresário Abílio Diniz e do publicitário Washington Olivetto sempre foi creditada a grupos terroristas internacionais, que antes eram financiados por Cuba, mas que, com a derrocada econômica da Ilha, passaram a usar essa expertise de guerrilheiros de execução de sequestros e de atentados para angariar fundos para o financiamento de suas atividades.

Washington Olivetto foi sequestrado em São Paulo, onde a FPMR sempre manteve algum tipo de estrutura. O carro do publicitário foi parado em uma falsa blitz, na qual os sequestradores usavam coletes da Polícia Federal. O sequestro ocorreu dia 11 de dezembro de 2001, e em 2 de fevereiro de 2002 uma parte dos sequestradores foi presa em um sítio em Serra Negra, interior de São Paulo. O líder do sequestro se apresentou como comandante Ferdinando, mas sua real identidade foi revelada logo depois. Ele era nada mais, nada menos que Mauricio Hernandez Norambuena. Preso em São Paulo, ele foi condenado e encaminhado para o sistema prisional. No presídio de segurança máxima, encontrou outro preso com quem viria a manter contato: Marcos Willians Herbas Camacho, o Marcola.

Como não poderia deixar de ser, Norambuena foi mandado inicialmente para Taubaté, que era um presídio de segurança e de isolamento máximos. Ele ficou lá de fevereiro de 2002 até 22 de março de 2003, sendo então transferido para a penitenciária de Presidente Bernardes – que não é o CRP, o presídio de segurança e isolamento máximos de Bernardes. Essa penitenciária é conhecida como "Panelão", um presídio de grandes proporções, regime fechado, mas sem o nível de segurança que existe no

CRP, que é um presídio extremamente pequeno. Marcola esteve em Taubaté de 23 de agosto de 1999 até 17 de abril de 2002, até que em 4 de abril de 2003 ele foi transferido justamente para Bernardes; a mesma penitenciária, o mesmo "Panelão", onde eles permaneceram juntos no convívio.

Por duas vezes, o Estado conseguiu juntar o mais perigoso dos líderes de facção do Brasil com o único terrorista internacional com experiência em organizar e liderar uma organização clandestina. Se isso foi uma desorganização, desídia ou fruto de corrupção, é impossível saber. Mas o fato não desmente.

Marcola e Norambuena ficaram aproximadamente um ano juntos, em contato pessoal onde puderam estudar e ter ideia do que um pensava sobre o outro. Se o contato e a convivência entre Marcola e Norambuena renderam frutos ou não, ninguém pode afirmar. Mas o fato é que a reorganização do PCC foi brutal após a ascensão de Marcola.

Antes dessa reorganização, a estrutura do PCC seguia um esquema tradicional piramidal: chefia acima, com a base se ampliando embaixo. É certo também que cada um cuidava das suas atividades. A adesão não era integral; um membro da organização coordenava atividades, mas essa obrigação fazia parte das atividades do criminoso, assim como seus negócios. Os dois corriam em separado – mas, por vezes, as ações e objetivos se cruzavam. Gulu, por exemplo, controlava o tráfico de drogas na Baixada Santista e também era um dos sublíderes do PCC. O que ele vendia e o que ele ganhava era problema dele.

Geleião tinha seus seguidores, Cesinha, os seus, e ambos recebiam prestação de contas de suas atividades fora dos muros dos presídios pelas mulheres, que acabavam se tornando as chefes de fato, ou pelos advogados.

Não havia uma caixa comum ou uma divisão que fosse claramente do partido. Havia no máximo uma caixinha para os parentes, alguma atividade coordenada, mas não havia uma empresa. Ou seja, não havia um projeto comum. Todos faziam parte da quadrilha, só que cada um, além da quadrilha, tinha suas atividades, eles não eram integralmente do PCC – o PCC não era uma empresa, era mais uma coligação criminal. Não que isso não pudesse existir, mas não se configurava efetivamente como uma organização.

Depois do contato com Norambuena, criou-se o que é chamado de Sintonia Final. Semelhante com o que se costuma denominar comitê central, que é usual nas organizações de esquerda. A essa Sintonia Final se submetem as outras "sintonias", que funcionariam como departamentos.

Já não há mais espaço para a iniciativa individual, já que tudo e todos estão integrados dentro da estrutura. Essa Sintonia Final serve também para se evitar o contato direto com a liderança.

As sintonias foram, então, batizadas. Havia a Sintonia dos Gravatas, uma referência aos advogados, que trabalham pela e para a organização, para quem é preso ou para quem está preso e quer receber benefícios.

Há também a sintonia do setor financeiro, que se divide em: Sintonia da Cebola ou Caixinha – aquela que recebe a contribuição mensal que todo membro do partido tem que realizar; Sintonia das Ajudas – organiza o pagamento das cestas básicas ou pensão para as famílias; Sintonia das Rifas ou Loterias (sim, eles têm essa atividade) – departamento que realiza rifas e loterias com prêmios; Sintonia dos Ônibus – se encarrega do transporte dos parentes dos presos que moram no interior e precisam fazer a visita na capital e vice-versa; Sintonia do Pé de Borracha – é aquela que administra os carros; Sintonia dos Cigarros – porque o PCC entrou na venda de cigarros produzidos ilegalmente e os vende a preço bem inferior; Sintonia das FM – demorou-se muito tempo para entender o que significava FM, mas descobriu-se que são pontos de drogas que são da família, portanto FM significa família, porque existem pontos de drogas que são cedidos a terceiros.

Existe também a Sintonia Bob Esponja, um nome que troca toda hora, mas se refere mais à venda de droga, e a IML[8], que trata da cocaína batizada.

Tudo isso coexiste e também se liga à Sintonia Apoio, que é a que apoia a Sintonia Final, o comitê central. E antes de tudo isso chegar à central, passa ainda por uma fiscalização no centro de apoio.

Existe a Sintonia Geral das ruas, ou seja, de quem está em liberdade e vai atuar no norte, sul, leste, oeste e centro da capital, outra no ABC e outra na Baixada. É interessante ressaltar que nas Sintonias Gerais há um comando geral, em tese um piloto, a nomenclatura muda rapidamente; há uma disciplina que vai ser um organizador que vai controlar, cobrar e fiscalizar; e há um terceiro que é o gerente financeiro. Então são esses três cargos e funções em cada uma das regiões.

---

8 IML significa Instituto Médico Legal, que faz autópsia. Supõe-se que é uma cocaína tão batizada que pode levar à morte.

Também tem as Sintonias do Interior, nas quais essa estrutura se repete: no Vale do Paraíba, Bauru, Sorocaba, Ribeirão Preto, São José do Rio Preto. São várias as regiões do interior e geralmente são identificadas pelos números que correspondem ao prefixo de interurbano.

Tem ainda a Sintonia Geral dos Estados (das regiões Sul, Norte, Nordeste, Sudeste e Centro-Oeste), um departamento separado ligado à Sintonia Geral. Há a Sintonia Geral do Sistema, que cuida dos presídios e apresenta, digamos, subsintonias: Feminina, das Comarcas, do Interior e a Sintonia dos CDPS. E há uma divisão relacionada à traficância, que gerencia as "padarias", que são unidades em que a droga é misturada antes de ser encaminhada para a venda direta ao consumidor, através de mulas. Tem até um setor que eventualmente negocia drogas por meio de um leilão, feito com pessoas cadastradas, indicadas por outros membros do PCC, que querem comprar droga direto do fornecedor.

Toda essa complexa organização não ocorreu de uma vez. Essa estrutura veio aos poucos e foi criando uma figura empresarial completamente diferente daquilo que existia.

Dentro dessa estrutura estão embutidos os negócios pessoais de cada um – pode ocorrer eventualmente, com membros da Sintonia Final Geral, de alguém comprar 500 quilos de cocaína e determinar que seja somente dele, para depois vender e obter lucro só para ele, mas é casual.

Ao contrário da figura que existia antes, o que é particular, nesse caso aqui é pontual. Na nova configuração do PCC predomina o sistema empresarial. Existem outras divisões fora do PCC e controladas pela Sintonia Fina Geral, mas é um organograma muito complexo e não será tratado aqui.

Por pelo menos três anos essa cultura foi sendo implantada. Cada uma dessas divisões é uma célula que não se comunica necessariamente com a outra, e quando uma é atacada ou desmobilizada, terá suas atividades englobadas pelas outras.

Foi a partir dessa organização que o PCC realizou muitas atividades de repressão, como a Operação Ethos do Gaeco/MPSP, exemplo claro de como a ligação entre Norambuena e o PCC é forte. Ocorreram percalços, claro, e tropeços, mas a facção mudava e virava realmente uma organização.

CAPÍTULO 15

LADRÃO NÃO ROUBA LADRÃO NO PCC

A expansão do PCC se dava agora pelos termos ditados por Marcola, influenciado pela filosofia de Norambuena.

Porém, logo de cara, Camacho tem que lidar com um problema sério, já que envolve o capital da organização. A primeira forma de divisão que passou a usar caixa único para centralizar os pagamentos e distribuir lucros deu errado.

O tesoureiro escolhido, David Surur, era dono de uma loja de acessórios para carros e começou a receber o dinheiro oriundo do tráfico, operado em oito zonas da cidade e do Estado, determinadas pela Sintonia Fina Geral. Porém ele foi preso. David ligou para a liderança e avisou que os policiais o estavam extorquindo, exigindo R$ 200 mil para soltá-lo – se não pagasse, o esquema da caixinha ficaria comprometido até que alguém fosse destinado à função de tesoureiro. Foi autorizado o pagamento e Surur foi solto em seguida.

Na verdade, a história de sua prisão foi um golpe que ele aplicou na organização. Só que David não contava que o telefone de sua loja, na Rua

Fernando Falcão, na Mooca, estivesse grampeado, o que levou a polícia a descobrir que ele não tinha sido detido e muito menos sido extorquido. As interceptações mostraram que David tinha levado sua namorada até um motel na Avenida Presidente Wilson, e de uma das suítes ligou dizendo que estava preso e sendo ameaçado pelos policiais com extorsão.

O tesoureiro do PCC foi preso em julho de 2005, em uma diligência policial, em sua própria casa em São Matheus, zona leste da capital paulista – em agosto de 2005, Surur apareceu enforcado no CDP de Belém.

Ao ser preso, encontraram com ele grande parte da contabilidade e do dinheiro do seu "resgate", cerca de R$ 162 mil reais.

As anotações em poder de David revelavam compra de armas, munições, aluguel de carros blindados, pagamento de advogados, despesas médicas e até velórios. Também eram adquiridas cestas básicas no atacado. Nas anotações estavam relacionadas as atividades ligadas à compra e venda de cocaína e também uma lista com todas as frequências de rádio usadas pelas polícias civil e militar que operavam nas oito delegacias seccionais, no Departamento Estadual de Homicídios e de Proteção à Pessoa (DHPP), no Departamento Estadual de Prevenção e Repressão ao Narcotráfico (Denarc) e no Grupo de Operações Especiais (GOE).

Com o intuito de diminuir o chamado fator humano e aperfeiçoar a atividade para que casos como o de David Surur não acontecessem novamente, com o auxílio e a orientação provavelmente de Norambuena, Camacho descentralizou a operação financeira e dividiu as células que ligavam a outras maiores e, por fim, a um núcleo central. Ele criou também a figura do "disciplina", um fiscal corregedor, um cobrador, que cuidava da regularização dos pagamentos e também checava se havia qualquer tipo de infidelidade, aplicando punições, nesse caso. Depois, com o tempo, passou a "julgar" quaisquer casos que fossem apresentados a ele, formando um sistema de justiça informal, fincado, claro, nos preceitos do partido. Esse sistema ficou conhecido como "Tribunais do Crime".

Se analisarmos os perfis dos grandes grupos terroristas internacionais ou de grandes partidos políticos de esquerda, principalmente da Europa Oriental na época da Guerra Fria, vamos ver sempre a existência de um comitê central do partido como centro do poder decisório. O PCC clonou esse modelo ao criar a Sintonia Geral Final, com um líder que devia responsabilidade aos demais. Camacho era esse líder da Sintonia Final, e de certa forma essa configuração funcionava como um anteparo, pois as ações contra o PCC, para chegar até ele, tinham que passar pelos demais membros do comitê central.

E dessa maneira o PCC se remodelou. Usando departamentos, como uma empresa, para gerir o negócio, com certa consistência e noção administrativa. Houve um planejamento e depois uma adaptação.

CAPÍTULO 16

O BOTE

Enquanto o isolamento em Presidente Bernardes não permitisse que Geleião e Cesinha voltassem ao comando da organização – apesar de conseguirem enviar ordens a seus seguidores –, Marcola e Gulu acabaram ficando com a gerência do PCC naquele momento. Uma vez que Marcola estava entronizado na liderança, ele passou a mudar o discurso do PCC de maneira muito sutil – e com o aval dos isolados Geleião e Cesinha, que não perceberam o golpe que iam sofrer.

O discurso nos presídios passou a ser outro. Se antes o PCC buscava o confronto com ações violentas, midiáticas e que resultaram em prejuízos a todos os envolvidos, agora a ideia não era mais essa.

A estratégia adotada por Marcola envolvia duas frentes: ganhar as ruas, o que, no entender dele, significava dominar a criminalidade, a chamada "vida loka", e mais precisamente o tráfico de drogas; e continuar pressionando o Estado.

O objetivo principal era ganhar dinheiro e força para montar uma estrutura que pressionasse o Estado tanto dentro dos presídios – que eles já dominavam e precisavam manter – quanto fora.

O discurso de "arrecadar dinheiro para a causa" era atrativo para todo mundo, desde a liderança até os executores, o que acabava construindo uma simbiose, envolvendo e fidelizando todos nas operações. Se um preso hesitava em realizar uma atividade perigosa e praticar uma ação em prol do partido, o medo pela retaliação era substituído pela vantagem do lucro. Uma ideia muito mais atrativa e que se tornou mais popular, já que o objetivo não era mais se sacrificar pelo partido, mas sim pertencer ao partido e ganhar dinheiro e força com isso.

Mesmo mudando a estrutura, Marcola não abandonava o que Geleião pregava: liderar e pressionar o Estado até que este cedesse. Ele sabia, por experiência própria, que o Estado sempre cederia, que iria até determinado ponto e dali em diante ele se retraía. E a pressão ele já exercia, cobrando o preço de ter suspendido os atentados, lembrando sempre que poderia virar o sistema quando quisesse. Ou seja, além de grande líder da organização, o todo-poderoso do comitê central, Camacho passou a ser o interlocutor do partido.

Mas Marcola também vivia sob pressão, pois sabia que qualquer rachadura dentro do sistema poderia levar a um desfecho que não seria diferente daquele que levou às mortes, que acabaram por beneficiá-lo.

Assim, tomando todos os cuidados, ele iniciou uma política de domínio do tráfico que começou por São Paulo. O PCC montava um grupo e escolhia um alvo: um traficante cujas bocas de uma microrregião estavam sob seu domínio. Naquela época, o tráfico era estruturado nas bocas e cada boca tinha um patrão, um "microempresário" que dominava uma determinada região. Além de coordenar o comércio, era responsável também por abastecer o "ponto de venda".

Escolhido o alvo, o grupo se inteirava de seus comparsas, o que era muito fácil, porque os próprios moradores da região e os presidiários colaboravam com informações, pensando em uma vantagem posterior.

Após essa investigação, um grupo armado se dirigia ao local e fazia uma visita. Geralmente era um grupo significativo, com o intuito de intimidar. E assim acordavam com o "microempresário" que, a partir daquele momento, toda a droga que ele vendesse tinha de ser comprada do PCC, pelo preço que eles estipulassem, e ele ainda teria de prestar contas do movimento e das atividades do entorno das bocas.

O traficante era pressionado a aceitar, pois caso contrário seria simplesmente assassinado com seus comparsas ou delatado à polícia – e, ao ser preso, a probabilidade de ele morrer dentro do sistema prisional, dominado pelo PCC, era grande.

***

Aqui cabe um intervalo para explicar que, para a organização, era mais vantagem, no caso de o traficante não aceitar o acordo, que ele fosse preso e morto numa unidade prisional. Isso porque, muito provavelmente, não haveria investigação nem inquérito. Em caso de morte fora do presídio, a polícia seria chamada e se corria o risco de uma identificação do assassino ou do mandante. O caso do traficante Nailde exemplifica bem isso – com um desfecho nada bom para o PCC.

Nailde traficava em Vila Joaniza, bairro na região do Jabaquara, zona sul de São Paulo, próximo à Avenida Cupecê e à Rua Nestor Sampaio Penteado. Como não aceitou se juntar ao PCC, acabou preso. A organização aproveitou o fato e tomou sua boca e também decretou a morte dele dentro do sistema.

Porém o tiro saiu pela culatra. A ordem para a morte de Nailde foi interceptada, e ele foi retirado a tempo da prisão. Nailde acabou contando tudo o que tinha acontecido, e por meio das informações que ele passou à polícia foi constatado que o PCC estava se expandindo e que se aproveitava da prisão de alguns deles para tomar as bocas.

***

Dessa maneira, ou seja, por coação, dia após dia as bocas acabaram caindo nas mãos da organização. Porém, nem tudo ia de vento em popa nessas ações. O PCC teve que lidar com os chamados justiceiros, ou pés de pato, nas favelas.

Geralmente contratado por comerciantes ou mesmo moradores

organizados em associações, como forma de proteção, o "pé de pato" matava os criminosos, mas depois acabava extorquindo os próprios contratantes.

Como era um fator de instabilidade, ou seja, esses indivíduos eventualmente poderiam entrar em confronto com o próprio PCC, eles começaram a ser sumariamente executados. Muitas vezes, os corpos eram queimados e colocados em um carro. O recado da organização criminosa era muito simples: ninguém precisava mais de proteção, porque o PCC tomava conta do local.

Nessa ação de tomada das bocas nas favelas, notam-se alguns sintomas específicos: a substituição de traficantes individuais por uma atividade coordenada em todos os pontos e a responsabilidade de se manter o controle do espaço dito social, tanto no que se refere à segurança quanto no que se refere a pequenos benefícios.

***

Mesmo que a polícia soubesse que o PCC estava se expandindo, não era possível acompanhar esse processo, pois tal crescimento acontecia de maneira irregular ou aleatória, não se tomavam as bocas de uma região em sequência. Acontecia num perímetro, depois passava a outro distante. Não se conseguia ter uma ideia da completude, um mapa geral daquilo que estava acontecendo. Não se sabia o local nem o tempo em que uma tomada aconteceria.

Foi assim que o PCC foi se reestruturando sob a liderança de Marcola. Em três anos era uma organização completamente diferente da administração anterior.

Todo esse movimento, mais silencioso, mais cirúrgico, gerou uma interpretação de que o PCC tinha estagnado. Só que não.

CAPÍTULO 17

AMOR MORTAL

Apesar de Gulu ser um dos membros do comitê central do PCC, a comunicação com ele estava difícil, pois acabou em isolamento, como Geleião e Cesinha. A liderança de Camacho se fortaleceu ainda mais.

Mesmo submetidos ao rígido regime do RDD, Geleião e Cesinha não tinham a intenção de deixar a liderança. Afinal, eram "Fundadores" – o que, é bom que se reforce, Marcola não era. Assim, os dois, para se manterem ativos no comando, mesmo que com restrição, passaram a contar com maior colaboração de suas companheiras. Esse período foi conhecido como a "Era das primeiras-damas".

Como já foi dito, Petronilha, esposa de Geleião, e Aurinete, companheira de Cesinha, eram as detentoras da alcunha. Elas se tornaram as porta-vozes dos dois, as únicas que transmitiam as ordens legítimas dessas duas lideranças. Tudo que vinha delas era considerado legítimo e era a elas que os demais se dirigiam.

No departamento "primeira-dama" figurava também a advogada Ana Olivatto, ex-esposa de Marcola. Ana, por sua condição de advogada, sempre foi muito respeitada. Ela tinha o codinome "Branca" e era a única que não fazia o leva e traz a que os advogados do grupo se prestavam. Era praticamente uma embaixadora de Marcola.

As três mulheres formavam uma espécie de conselho do crime fora do sistema prisional. Mas não demorou muito tempo para que os desentendimentos começassem.

Aurinete era, sem dúvida, a mais sagaz das primeiras-damas e muito perceptiva. Foi a única que enxergou que o isolamento de Cesinha e de Geleião havia sido uma jogada de Marcola e que as ordens de Geleião para a prática dos atentados os levariam a um desastre. Então, ela começou uma reação sutil contra Marcola, já que não poderia se opor a ele de maneira direta, de confrontação.

Sua tática era inibir as ordens dadas por Petronilha para a realização de atentados, pois sabia que iriam prejudicar Cesar e a ela também. Assim, o que Petronilha mandava, ela desmandava. O que uma dizia, a outra replicava dizendo que não era bem assim que se deveria proceder. Aurinete criticava ou procurava criar obstáculos tanto a Marcola quanto às ações que Geleião queria executar, principalmente as mais violentas. Ela também tomava iniciativas sem consultar Cesinha, e, às vezes, nem informava a ele o que ela estava fazendo.

Dentro do presídio de Bernardes, Geleião e Cesinha estavam isolados em pontos diferentes e, portanto, não conseguiam se comunicar nem mesmo durante o banho de sol, que acontecia para eles em momentos diferentes. Nem se gritassem nas galerias ou de uma cela para outra conseguiriam se fazer ouvir. O controle sobre os dois era quase que absoluto. Então, Geleião não sabia o que Cesinha estava falando, exceto pela informação que Petronilha lhe dava. Do mesmo modo, Cesinha não sabia o que ocorria, a não ser pela informação que Aurinete lhe dava.

Cada vez mais, Aurinete ficava aflita e não parava de pensar que os dois precisavam deixar o RDD para voltarem ao comando do PCC e reagir a Marcola. Ela sabia que, quanto mais tempo permanecessem isolados, mais fracos ficariam.

Enquanto a transferência de Geleião e Cesinha não saía, Aurinete passou a agir por conta própria, pagando a Marcola com a mesma moeda que ele usou para isolar Geleião e Cesinha. Ela passou a informante ocasional da polícia. Procurava contato com policiais do Deic para fornecer algum dado que atrapalhasse alguma ação do PCC que ela considerasse desfavorável a Cesar. Aurinete só não esperava ser descoberta pelos comparsas de Marcola nesse seu trabalho, provavelmente delatada pelos próprios policiais.

Marcola não admitiu essa traição e destacou Ana Olivatto (por ser advogada, tinha maior acesso ao presídio que as duas esposas) para avisar Geleião e Cesinha da trairagem e das atividades de Aurinete, além de revelar o descontrole de Petronilha em relação à outra primeira-dama.

Ana contava com a violência com que Cesinha tratava Aurinete para resolver a questão. Várias vezes, quando ela ia visitá-lo, até durante a visita íntima, Aurinete era espancada pelo companheiro. Traição não fazia parte do dicionário de Cesinha, o "Fundador" que protegia seus comparsas assumindo todas as ações criminosas para não comprometê-los. Portanto, ele jamais admitiria que Aurinete pudesse fazer justamente aquilo que ele mais odiava, que era entregar os outros.

Ana marcou a visita para a tarde de 23 de outubro de 2002. Ela dirigiria de sua casa, um pequeno sobrado em Guarulhos, até Presidente Prudente, no noroeste do Estado e a 560 quilômetros da capital. Mas Aurinete também soube da visita, provavelmente por meio de algum outro preso ou por informação do próprio presídio. E, como era esperta, sabia exatamente o que Ana iria fazer e por ordem de quem.

Um pouco depois das 11 horas da manhã, após tomar café, Ana Olivatto se preparava para sair. Sua empregada abriu o portão do sobrado em Guarulhos e ela entrou em seu Fiat Palio vermelho. Foi quando entrou na garagem um indivíduo com o rosto semiencoberto por um gorro, a abordou – ela estava com o vidro abaixado – e atirou duas vezes em sua nuca com uma arma calibre 45, matando-a instantaneamente.

Chamou a atenção da empregada o fato de Ana ter reconhecido o assassino, pois, ao ser interpelada, não esboçou qualquer reação, não se espantou. Após sua morte, o sicário saiu calmamente da garagem, entrou num carro e partiu.

A repercussão da morte de Ana Olivatto foi enorme, gerou muita comoção dentro do sistema prisional e foi alvo de especulações de todos os tipos para saber quem a teria matado e por quê. Houve revolta e cobrança do chefe Marcola, tanto que, por ordem dele, todo o sistema prisional ficou de luto.

Lauro Carlos Gabriel é o nome de um indivíduo conhecido pelo apelido de Ceará. Irmão de Aurinete, ele era um matador experimentado e estava sendo investigado por mais de cem homicídios. Ele já havia ameaçado e planejado a morte de delegados de polícia, assassinado filhos de políticos, era considerado um assassino de extrema periculosidade, o tipo que se costuma chamar de robô, pois executa qualquer ordem sem questionar.

Quando a polícia começou a fazer as diligências para tentar elucidar a morte de Ana Olivatto, por meio do depoimento da empregada foi feito um retrato falado, publicado em vários jornais. Um retrato preciso e que coincidia muito com o rosto de Ceará.

Como se sabe, o mundo do crime tem suas peculiaridades e códigos de conduta próprios. Exatos 12 dias depois da morte de Ana Olivatto, Ceará foi chamado por um amigo, um "parça" de confiança que trabalhava com ele na prática criminosa, cuja alcunha era Marcolinha, para um encontro em um bar, na esquina das ruas Coimbra e Brás, na região central de São Paulo.

– Precisamo clareá umas ideia da caminhada da doutora.

Ele foi dirigindo o mesmo carro que usou no dia do assassinato de Ana, uma Parati vinho. Ceará estacionou a pouca distância do bar e se dirigiu até a esquina, onde Marcolinha já o esperava com outros cinco comparsas.

A conversa começou a ficar pesada quando Marcolinha perguntou quem tinha mandado matar a Ana. Ceará replicou dizendo que tinha cumprido ordens da liderança e tinha realizado a missão a mando de Cesinha.

Marcolinha então falou:

– Se você cumpriu a sua missão, eu vou fazer a mesma coisa e vou cumprir a minha.

Ele sacou de uma arma e Ceará foi morto ali mesmo, na porta do bar, antes que tivesse tempo de sacar. Marcolinha pegou a pistola 45 de Ceará, a mesma usada para matar Ana Olivatto, e colocou-a dentro da Parati vinho. Era um recado. A entrega da arma que matara Ana significava que a morte de Ceará tinha sido uma vingança pela eliminação da advogada.

A polícia, quando encontrasse o carro, faria a ligação do calibre, difícil de ser encontrado e de uso das Forças Armadas, e saberia quem era o Ceará dos cem homicídios, concluindo o caso.

Estranho pensar por que Ceará foi até o bar se sabia que seria morto. Por que não desconfiou de Marcolinha, apesar de ser um ex-parceiro dele? Simplesmente porque Ceará acreditava mesmo que tinha feito a execução a mando das lideranças. A ordem que lhe foi passada dizia que Cesinha tinha determinado a morte de Ana Olivatto por decisão da liderança – aqui é preciso fazer um esclarecimento: Cesinha nunca se deu bem com Ana e já tinha expressado seu desgosto por ela e que, se fosse por ele, Ana estaria morta; mas ele nunca deu essa ordem.

Depois do ocorrido, um bilhete endereçado a Marcola foi apreendido. Dirigido ao "Play", a mensagem dizia que a morte do Ceará havia sido um golpe de mestre e que Ana Olivatto estaria vingada. A advogada morreu pelo amor que tinha por Marcola.

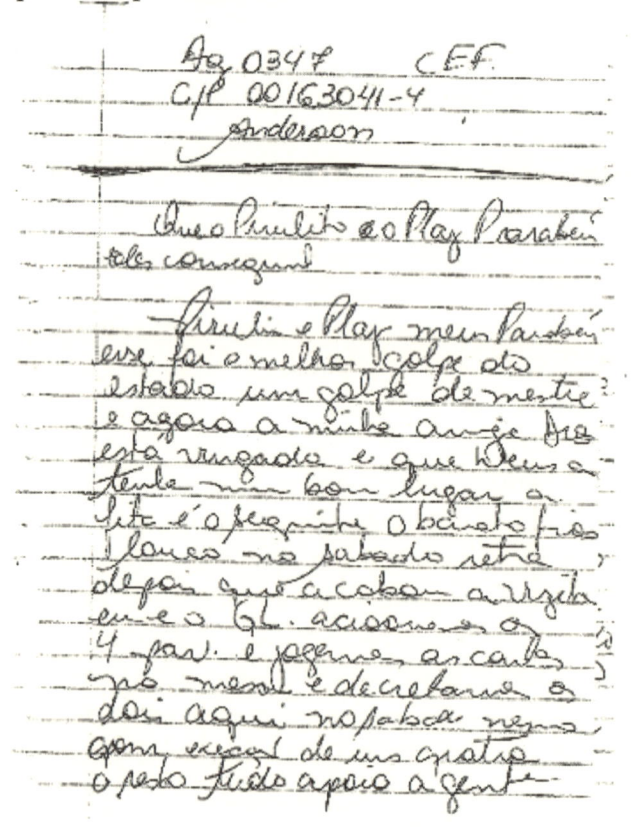

CAPÍTULO 18

A QUEDA DE CÉSAR

Dado o recado de que a morte de Ceará tinha sido a vingança pela morte de Ana Olivatto, Marcola se aproveitou do fato de que Cesinha detestava Ana e passou à ofensiva. Camacho atribuiu a César a responsabilidade pela morte de Ana, o que tinha lógica, já que Ceará era cunhado e amigo de César.

Era uma triangulação muito clara e todo mundo sabia que Ceará era um executor que jamais praticaria o crime sem que tivesse sido determinado.

Dessa forma, Cesinha quebrava o pacto e traía a organização matando os familiares de outra liderança, coisa que era inaceitável ali dentro. Aliás, no mundo do crime não se admite ataque às famílias dos outros, tem que haver uma peculiaridade totalmente fora do comum para que isso possa eventualmente acontecer.

Esse era o motivo que Marcola precisava para isolar Cesinha da liderança. E como o que ele falava repercutia nos membros e em outras lideranças, a situação de Cesinha estava se complicando cada vez mais.

As interceptações telefônicas da época mostravam as discussões e as conversas entre membros do PCC sobre a traição de César. "O Cesinha mandou matar a esposa do Marcola, isso é um absurdo", diziam. Além disso, Ana era muito querida pela maioria dos membros da organização, e a revolta foi geral. E como Cesinha estava isolado em Bernardes, não conseguia se defender, não tinha como tentar explicar e apurar o que realmente tinha acontecido.

Outras queixas começaram a ser feitas contra ele, dizendo que tinha tomado pontos de droga para si, que tinha se excedido. Começou a sofrer crítica atrás de crítica, mas a principal questão era que ele tinha mandado matar uma pessoa muito querida, um familiar a quem ele devia respeito. Contando com o apoio de Gulu, o segundo na liderança, Cesinha foi excluído do PCC e perdeu a sua condição de liderança. Era a primeira vez que um "Fundador" era excluído, então, ao fazer isso, mesmo por um motivo forte, Marcola demonstrava que tinha um poder maior do que o de um "Fundador".

Geleião, nem se quisesse, conseguiria intervir, devido ao seu isolamento. Ou seja, tanto ele quanto Cesinha não tinham mais a capacidade de reação de antes. Mais uma vez, Marcola conseguia o que queria.

Diante dessa situação, Aurinete fugiu, até porque, assim como ela entendeu a jogada de Marcola, este também tinha percebido o que ela estava fazendo.

A primeira ordem que Marcola deu, após expulsar Cesinha da organização, foi decretar a morte de Aurinete. E ele tinha dois motivos para isso. Primeiro, ela sabia demais sobre ele. Segundo, ela poderia ajudar Cesinha a se reerguer, já que era a voz dele fora dos presídios. Além do que, ela era informante da polícia.

Nunca se comprovou que Aurinete tivesse mandado ou ordenado que seu irmão liquidasse Ana Olivatto, mas a hipótese e as suspeitas apareceram nos jornais da época – como na reportagem publicada no *Jornal da Tarde* de 5 de novembro de 2002.

A morte de Ana Olivatto teve de imediato dois resultados muito significativos: a expulsão de Cesinha do PCC e a neutralização de Aurinete.

CAPÍTULO 19

MALINHA? TÚMULO!

Com a exclusão de Cesinha após a morte de Ana Olivatto, só havia mais um obstáculo para Marcola vencer: Geleião. Era isso que ele pensava. Mas Cesinha não tinha sido derrotado.

Após cumprir sua pena de um ano no RDD, Cesinha saiu do CRP de Presidente Bernardes (para onde Marcola acabou indo) e voltou para o sistema prisional. E Cesinha era o Cesinha.

Ao voltar, ele provou que sua liderança não era fruto do acaso ou de intrigas. Sua fama de admitir todos os crimes que praticou e de não delatar companheiros mantinha a sua força, o suficiente para se contrapor a Marcola.

Ele ainda tinha credibilidade e era dotado de um discurso muito poderoso e de um carisma quase inabalável, não seria completamente neutralizado por uma intriga. Percebendo que não conseguiria voltar à liderança do PCC, resolveu criar outra facção, o TCC, Terceiro Comando da Capital.

Sob seu comando, o TCC começou a crescer e a dominar pelo menos o presídio onde Cesinha estava. Ele se tornou novamente um obstáculo e um perigo para Marcola. Enquanto isso, Aurinete fugia dos matadores do PCC, que estavam em seu encalço.

Com Marcola no RDD, ou seja, isolado pelo rigoroso regime, a gerência do PCC passou a ser feita pelos advogados. O profissional Mário era o principal contato dos líderes com o mundo exterior. E ele fazia uma via-sacra pelas sublideranças, presas nos presídios do interior do Estado, antes de chegar a vez de visitar Marcola.

Era evidente, portanto, que ele coletava informações e depois as repassava a Marcola. Em uma dessas visitas ele deixou, sem querer, cair um bilhete que dizia para quem as informações deveriam ser levadas: para o M, Marcola, e para outra pessoa.

Esse descuido, revelando que ele fazia um leva e traz, fez o Estado reagir e pela primeira vez foi obtida uma autorização judicial pela polícia e pelo Ministério Público para que fosse feita a interceptação ambiental do parlatório, ou seja, para que a conversa entre advogado e cliente fosse gravada em áudio e vídeo. Muito embora existisse o sigilo entre cliente e advogado, nesse caso provou-se que a ação não era advocatícia, ou seja, não estava voltada para a defesa do cliente, o que estava sendo analisado ali era o tráfico de informações. Quer dizer, Mário não estava indo a Presidente Bernardes advogar em defesa de Marcola, estava indo para exercer uma atividade criminosa.

***

Em 30 de setembro de 2003, o advogado Mário marcou uma visita aos líderes do PCC, entre eles, Marcola. O equipamento de interceptação já estava instalado. O caminho do advogado durante suas visitas nos presídios era acompanhado de perto, mas muito discretamente, de forma que ele não percebesse.

Ao chegar a Presidente Bernardes, foi até o parlatório e encontrou Marcola. O parlatório era uma sala com dimensões razoáveis, com uma janela de vidro grande que ia quase do teto até a altura de uma mesa, onde de um lado ficava o advogado e, do outro, o cliente; quer dizer, os dois se ouviam, mas não podiam ter contato físico.

Eles tinham noção de que estavam sendo gravados, mas supunham que somente o áudio das conversas estava sendo captado, então mantinham um diálogo muito sutil.

Enquanto isso, na sala do diretor, o delegado de polícia, policiais e promotores observavam pelo circuito de TV uma conversa que parecia um diálogo sem nexo, e Mário ocultava com o corpo algo que mostrava nas mãos – a câmera estava posicionada de forma a não pegar a parte da frente do corpo do advogado, pois estava atrás dele.

Às vezes Marcola gesticulava, tentando mostrar com os dedos a existência de uma opção um ou dois, e depois a visita foi interrompida. O que se percebeu por esse jogo de palavras sem nexo e de corpo era que uma decisão tinha sido tomada. Para saber do que se tratava, seria preciso revistar o advogado ao deixar o parlatório, o que poderia constituir um abuso de autoridade. Era uma decisão arriscada, pois não era possível antecipar uma solicitação judicial, tinham de decidir se fariam ou não naquele momento.

De qualquer maneira, os órgãos superiores foram consultados rapidamente sobre o que deveria ser feito. E as hipóteses recebidas não foram tranquilizadoras: "Vocês que estão aí é que podem avaliar, a decisão é de vocês. Resolvam".

O delegado Ruy Fontes, o promotor Roberto Porto e Marcio Christino interceptam mensagens que Marcola pretendia enviar por meio de seu advogado

Não havia outra solução. Era arriscado, mas precisava ser feito. Então, quando o advogado saía do presídio, na última passagem antes de abrir a porta para fora, ele se deparou com delegados, promotores, policiais e recebeu voz de prisão. Ele ficou surpreso com a ação e quando percebeu que ia ser revistado, tentou se desfazer de alguns papéis pequenos e um cartão, jogando num vaso. As mensagens foram apreendidas. Eram seis e mais um cartão com sete respostas numeradas, e mais algumas informações. Finalmente a situação se aclarava. Mário era o elo entre as lideranças do PCC.

Apesar da batalha jurídica que se travou depois disso, uma discussão jurídica tremenda, Mário foi condenado e ficou em isolamento, no mesmo RDD de seu cliente. A prisão de Mário teve várias consequências. Confirmou que era através dos advogados que as lideranças se mantinham informadas e transmitiam as ordens, mesmo estando no RDD. Sempre se supôs que isso acontecia, mas era a primeira vez que se prendia alguém por formação de bando e de quadrilha por agir dessa maneira.

A prisão também mostrou, pela apreensão das mensagens, que o PCC não tinha esgotado seu viés terrorista, porque entre as anotações estava um pedido de autorização para explodir uma bomba na estação Jabaquara do metrô paulistano. Uma bomba nesse local teria causado gravíssimas consequências. Essa estação está ligada à rodoviária que faz a ponte entre São Paulo e o litoral sul, um terminal com bastante movimento. Além da tragédia de grandes proporções, a repercussão seria internacional. Colocaria o PCC na mesma categoria de organizações como o grupo terrorista Basco ETA ou o irlandês IRA.

Quando Marcola entendeu o pedido (representado por uma cruz norte-sul, leste-oeste), ele estava sentado, pôs as mãos na cabeça cruzando os dedos na nuca, jogou o corpo para trás, pensou alguns segundos e lentamente fez que não com a cabeça e ainda disse alguma coisa inaudível.

Esse, aliás, era o perfil dele. Era avesso a atentados. Ele não queria isso. O atentado não ia lhes render nada e ainda colocaria a atenção policial na sua conta ou coisa pior, porque ele seria visto agora como um terrorista tal como Geleião e Cesinha.

As demais questões que estavam nos papéis eram de natureza gerencial: decreto da morte de um preso, compra de armas, drogas, ordem de mortes, compra de grandes metralhadoras e fuzis. Tudo isso estava em pequenos cartões. Eram seis cartões, mas foram sete as respostas.

Havia um recado anotado, e não era uma resposta a uma indagação do advogado para Marcola. Ele vinha de Marcola para o advogado e era uma ordem. Estava escrito: "Todos os recursos na localização do Malinha - túmulo".

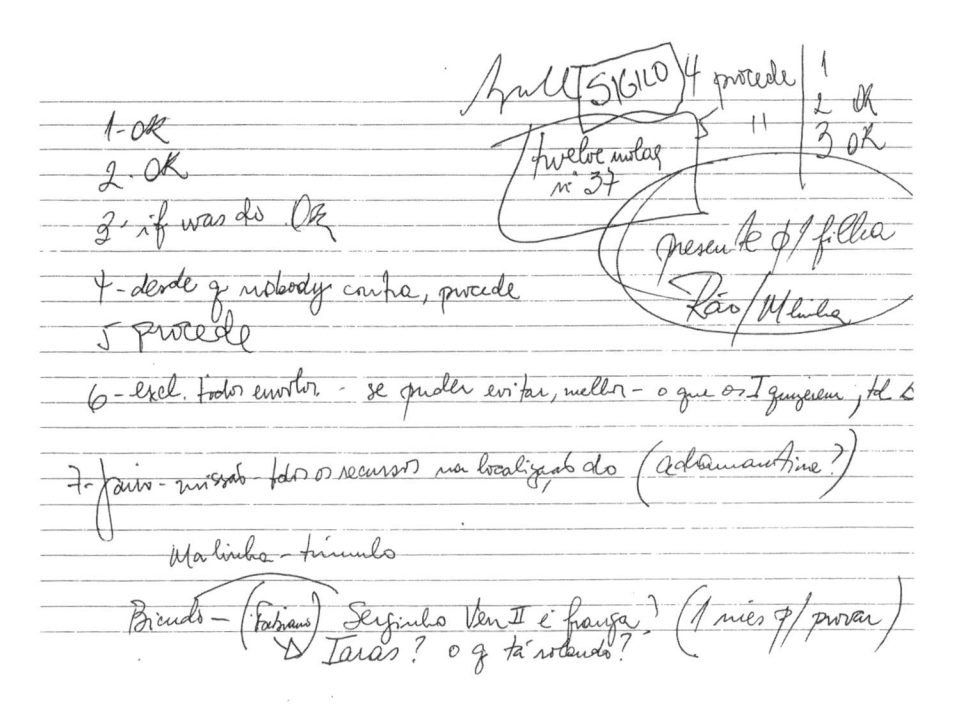

Ordem de Marcola para o advogado

Sabia-se que Malinha era um dos nomes usados para identificar César Augusto Roriz Silva, o Cesinha. A ordem então era localizar Cesinha e matá-lo.

Cesinha, o ex-comparsa de Marcola, que fora criado com ele e com quem assaltava bancos, seu primeiro amigo e parceiro, aquele que tinha fundado o PCC e que o tinha levado para a organização, deveria morrer. Era essa a prioridade de Marcola naquele momento, em meio aos interesses do PCC.

CAPÍTULO 20

MORRE O GRANDE LÍDER

Foi na manhã de 13 de agosto de 2006, pouco antes das 10 horas, no interior da Penitenciária 1, de Avaré, que o conflito e embate entre Cesinha e Marcola chegou ao fim. Naquela época, como líder do TCC, Cesinha dominava Avaré, fazendo ali oposição a Marcola.

Aurinete ainda estava jurada de morte pelo PCC, que a buscava incessantemente, mas, mesmo assim, ela foi visitar o marido. Era dia de visita íntima.

Em seu depoimento à polícia, Aurinete conta que um preso, que ela não soube identificar, bateu na porta e chamou Cesinha. O líder do TCC calçou o tênis, saiu da cela, e essa foi a última vez que ela o viu vivo.

Segundo o que se conseguiu apurar, o detento Paulo Henrique Bispo da Silva, o Paulinho PDT, foi quem bateu na porta e avisou Cesinha que queria falar com ele em sua cela.

Ao se encaminhar para a cela do companheiro, César caminhava à frente e Paulinho PDT andava atrás. Quando Cesinha entrou na cela, Paulinho, que tinha deixado do lado da grade um pedaço de madeira, proveniente das vassouras usadas para limpar o pátio do presídio – o que eles chamam de "vassourão" – desferiu-lhe dois golpes na cabeça. Ele caiu, recebeu mais um golpe e ficou desacordado. Paulinho, então, laçou o pescoço de Cesinha com uma corda e, enquanto segurava a cabeça dele no chão com o pé, puxou a corda até que cortasse o pescoço e o enforcasse. Cesinha estava morto.

Para se justificar, Paulinho PDT disse no seu interrogatório que Cesinha havia feito uma reunião para decretar sua morte. Numa primeira análise, surpreende muito que, mesmo Cesinha tendo decretado a morte de Paulinho PDT, ele tenha saído da visita íntima para render o indivíduo a quem havia decretado a morte. Surpreende mais ainda que, mesmo tendo decretado a morte de Paulinho PDT, ele tenha caminhado à sua frente, ter lhe dado as costas e ter entrado na cela dele tranquilamente. Cesinha tinha se encaminhado para a ratoeira que havia sido preparada sem qualquer cautela.

Em juízo, Paulinho disse que, além de espancá-lo com o cabo de madeira e estrangulado com a corda, ele ainda teria usado uma lâmina de barbear para cortar-lhe o pescoço. Certamente uma dificuldade, já que uma corda estava enlaçada no pescoço da vítima, como provavam as fotos do cadáver. O cabo de madeira e a corda usada por Paulinho foram apreendidos, mas nenhuma lâmina de barbear foi encontrada.

O corte no pescoço, de um lado só, da jugular, só foi notado no laudo necroscópico, porque o laço feito com a corda e o estrangulamento encobriram o corte. O ferimento que mais chama atenção é o corte no lado esquerdo do pescoço, o item cinco do laudo, com 15 centímetros de extensão e que teria sido uma das principais causas da morte. O golpe fatal foi o corte no pescoço.

Mas por que tanto cuidado com o corte feito no pescoço? Seria muito difícil, mas não impossível, que após espancá-lo e estrangulá-lo ainda teria pegado uma gilete para cortar a jugular, mesmo ele estando morto. Em seu depoimento, Paulinho acrescentou que também cortou a costela de César, no entanto não havia sinal de corte nessa parte do corpo.

A confissão confusa e o fato de não se ter achado nenhuma gilete permitiram várias hipóteses. Há muita dificuldade quanto à aceitação do fato de que Cesinha teria abandonado a visita íntima para confabular com outro preso da mesma penitenciária que está lá todo dia sempre disposto a conversar, sempre acessível. Outra questão intrigante é o fato de um preso experiente ser surpreendido de uma maneira tão infantil e não ter visto, quando entrou na cela, os cabos de madeira.

O fato é que, após a morte de Cesinha, Aurinete deixou de ser perseguida pelo PCC. Ela prestou depoimento naquele dia, no distrito policial, e nunca mais foi vista. Ela poderia explicar o sumiço das giletes, como elas chegaram lá e as razões que levaram Cesinha a deixá-la dentro da sala de visita íntima para ir conversar com outro preso. Mas isso não foi possível e Paulinho PDT acabou sendo condenado pela morte de Cesinha.

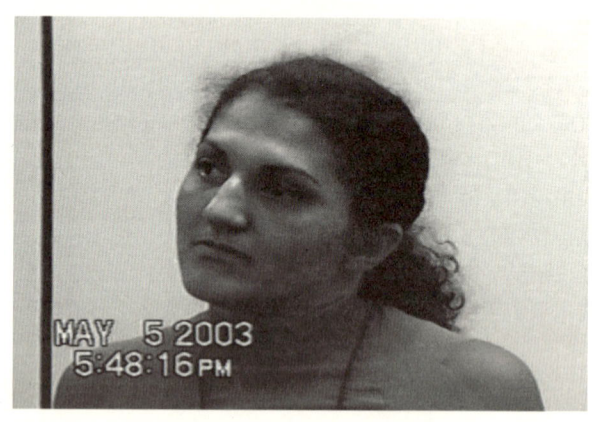

Aurinete, mulher de Cesinha

***

Com tantas mortes no currículo, Cesinha morreu como viveu: na "ponta da faca", cortado como havia feito tantas vezes, sozinho, numa briga dentro do sistema prisional.

Ninguém pode dizer que essa ordem havia partido de Marcola, isso nunca foi provado. Porém, sem dúvida, o grande beneficiado pela morte do Cesinha foi ele, que não era mais ameaçado pelo ex-amigo e ex-comparsa.

Os "Fundadores" estavam todos vencidos; Cesinha, morto, e Geleião, "exilado" – já que tinha feito delação premiada e estava fora do PCC. Marcola reinava absoluto.

CAPÍTULO 21
CÍRCULO FECHADO

Gulu era um homem muito alto, magro, porém forte. Era um dos grandes que Marcola dizia ter trazido para perto dele na rebelião do Piranhão em 1999. Também foi um dos que defenderam a explosão do carro-bomba na Barra Funda e os atentados. Era um dos membros mais violentos e possuía alguns seguidores fiéis, especialmente Sérgio Luiz Fidélis, o matador preferido dele. Fidélis praticou vários atentados contra fóruns e delegacias.

Gulu era bem-sucedido na gerência do dinheiro, fato incomum para traficantes. Por causa da violência, ele era dono de todas as bocas de tráfico da Baixada Santista, nenhum grama era vendido nessa região se não se recolhesse o lucro para ele. Portanto, Gulu era o mais rico dos líderes. Foi ele quem financiou a compra do material da bomba do fórum da Barra Funda, o que chamou a atenção de Marcola para o modo como ele movimentava o dinheiro.

Gulu se juntou ao PCC logo no início. Ele era da primeira leva a se agregar depois dos "Fundadores". Desde aquela época ele sempre foi considerado um integrante importante da organização. Fora do presídio ele contava com a ajuda da mãe, dona Rosa, que gerenciava as bocas controladas pelo filho. Era uma mulher muito inteligente, esperta, articulada e foi dela o conselho que fez o Gulu soltar a filha sequestrada de Pedrosa, foi ela quem avisou que a polícia estava perto – isso está gravado numa interceptação telefônica. Ela não gostava de usar telefones, porque intuía que pudessem estar grampeados.

Ele contava também com o apoio de seu irmão Marco Aurélio, que, junto com dona Rosa, era um dos grandes anteparos de Gulu, uma pessoa de extrema confiança e que executava e gerenciava todas as ações que o irmão precisava.

O conflito entre Marcola e Gulu era uma questão de tempo; eles iam ter de dividir o poder e o confronto era inevitável. Marcola estava implantando aquele novo padrão no sistema estrutural do PCC, e Gulu ainda se entendia melhor com o sistema tradicional, além de centralizar na mãe e no irmão a condução de seu negócio na Baixada Santista. Isso talvez tenha sido um de seus grandes erros, porque o tornava suscetível a um ataque. Era a fraqueza da sua estrutura. Uma vez afastados a mãe e o irmão, não haveria quem gerenciasse as bocas do lado de fora.

Sabendo disso, aos poucos Marcola minava e desconstruía a força de Gulu. Ele passou a escolher nomes de "patrões" (donos) de algumas bocas do litoral dizendo que não podia ser daquela forma, que a estrutura do negócio deveria ser outra, e foi aos poucos cercando algumas bocas. Oferecia mais por menos e começou a se atritar com Gulu, até que eles tiveram uma discussão.

Depois disso, Marcola decidiu por uma suspensão: por 30 dias ninguém mais iria obedecer ao Gulu. Outra ação que acentuou a fragilidade da condição de Gulu foi um furto praticado na casa de dona Rosa e de Marco Aurélio – eles moravam juntos. Alguém entrou na casa e levou as bicicletas. Isso mostrava um total desrespeito, porque ninguém ousaria invadir a casa de um dos maiores traficantes da Baixada Santista para furtar algumas bicicletas. Foi um sinal de desprezo.

Gulu percebeu isso, não era tolo, ele era forte no sistema penitenciário e não chegou lá à toa. E Marcola não ia ter uma vida tão fácil como teve com os outros líderes que ele, de alguma maneira, neutralizou. Gulu, ao contrário dos outros líderes, conhecia muito bem a maneira de agir de Marcola.

Para não levar a pior primeiro, Gulu se antecipou e usou um recurso que o próprio Marcola usara tantas vezes: avisou a Administração Penitenciária que Marcola e Carambola (Júlio César Guedes de Morais), que agora era o preso mais próximo do líder do PCC, receberiam dentro da penitenciária de Araraquara – onde os dois estavam – quatro armas, nove celulares e drogas.

Esse carregamento realmente foi enviado, mas interceptado pela Administração Penitenciária, o que motivou a ida de Marcola e Carambola para o isolamento de Presidente Bernardes. Com os dois isolados, era a chance que Gulu tinha de recuperar o fôlego, reconstruir sua força em Santos e reconquistar o espaço perdido. Gulu pensou ter levado a melhor, só que não foi bem assim.

Em 28 de abril de 2005, um pouco depois da remoção de Marcola e Carambola, Gulu foi subitamente estrangulado na penitenciária de Mirandópolis. Ele foi cercado por vários presos, que usaram fios usados na fabricação de bolas para laçar seu pescoço e estrangulá-lo, manobra chamada de laço siciliano. Ao mesmo tempo, seu braço direito em Mirandópolis, José Teixeira da Conceição, vulgo Nego Bago, também foi morto da mesma forma. Enquanto isso, na Baixada Santista, Marco Aurélio, irmão de Gulu, nem sequer desconfiou quando um Corsa entrou na rua em que morava e se aproximou de sua residência. Eram pessoas que supostamente ele conhecia porque as cumprimentou – mas elas não foram identificadas até hoje. Os ocupantes do Corsa dispararam três tiros e mataram Marco Aurélio. Isso aconteceu simultaneamente à morte de Gulu em Mirandópolis.

Ao perceber que o filho tinha sido executado, dona Rosa usou uma saída que ela mesma tinha preparado antes para fugir. Os matadores chegaram a ir atrás dela, mas não conseguiram matá-la. Nesse instante, também o sequestrador Sérgio Luiz Fidélis foi assassinado na penitenciária de Iaras. Foi também estrangulado.

Em Araraquara, outra morte fez parte desse roteiro que mais parece de filme: Carlos Alexandre dos Santos, o Macalé, e mais dois outros comparsas foram mortos estrangulados por terem dado a informação que levou Marcola ao isolamento.

Todas essas execuções começaram às 16h15 e terminaram às 18h15. Em duas horas, quase todos os cabeças ligados a Gulu, inclusive o próprio, foram mortos. Uma cronometragem perfeita. Existe uma situação semelhante na ficção: acontece no filme *O Poderoso Chefão*, do diretor Francis Ford Coppola, baseado no livro homônimo de Mario Puzo, quando, no final, todos os inimigos de Michael Corleone (Al Pacino) são mortos em várias ações simultâneas.

No mesmo instante também, as bocas do tráfico que eram controladas por Gulu declaravam apoio a Marcola, tornando-se adeptas ao sistema do PCC empresarial.

Mais de 20 membros do PCC ligados a Gulu foram mortos nos dias seguintes. Ninguém pôde provar que essas execuções teriam sido determinadas por Marcola, até porque ele estava no RDD. Mas, de novo, ele foi o grande beneficiado com essas execuções. Marcola se tornava finalmente o líder único do PCC, "capo di tutti capi" (do italiano, chefe de todos os chefes), que iria transformar o PCC em um cartel.

CAPÍTULO 22

OLHO POR OLHO

Isolado no CRP de Presidente Bernardes, sem poder contar com Petronilha – presa por causa da tentativa de explodir a Bolsa de Valores de São Paulo – para continuar exercendo seu comando fora do sistema prisional, Geleião compreende que sua situação se complicou – e muito.

Finalmente a ficha cai, e ele percebe que seria uma questão de tempo até que tivesse o mesmo fim dos outros "Fundadores". Seu lema de liderar sempre e pressionar o Estado para ceder não tinha mais como ser colocado em prática. Primeiro porque ele não estava conseguindo liderar, não conseguia se comunicar com seus seguidores. Privado da comunicação, ele também não conseguia mais pressionar o Estado. E, quando conseguia algum interlocutor, suas ordens eram descumpridas por causa do novo comando do PCC, Marcola, e a nova configuração empresarial da facção, cujo foco não era mais o terror, mas o lucro.

O PCC não era mais o que Geleião desejava, e ele se encontrava encurralado, sua figura tinha perdido a força, a utilidade. Geleião passou de líder, "Fundador", para se tornar um incômodo perigo ao, agora, líder máximo.

Ao entender que Camacho fora o responsável por esse seu afastamento involuntário do comando da organização, Zé Márcio resolve inverter o risco. Passa de encurralado a caçador, de perseguido a perseguidor, de cabeça da organização ele ia se tornar o carrasco do projeto que tinha criado. Sua ideia era atingir Marcola de uma maneira tão forte quanto ele mesmo tinha sido atingido.

Quando certo dia o agente penitenciário foi retirar Geleião para o banho de sol, ele pediu para falar com o diretor – coisa que ele nunca tinha pedido até então. Foi levado para a sala do diretor e lá fez um comunicado que ninguém esperava: queria fazer uma delação premiada. Seria a primeira da história do crime organizado. Algo parecido tinha ocorrido na Itália quando Don Masino (Tommaso Buscetta – 1928/2000) decidiu delatar a máfia para o juiz Giovanni Falcone.

O diretor quase caiu da cadeira e, antes de tomar o depoimento, ligou para o delegado que seria o único capaz de avaliar a situação e conduzi-la. Na sequência, o telefone do MP tocou e veio o aviso de que o Geleião queria falar com todos. Imediatamente, as equipes da Polícia e do Ministério Público se deslocaram para o CRP de Presidente Bernardes.

Foi uma chegada muito discreta a Bernardes. Sem parar em nenhuma barreira do presídio, passaram direto com viaturas descaracterizadas, diminuindo ao máximo a possibilidade de que alguém percebesse algum tipo de movimentação.

Geleião usava uns óculos pequenos que lhe davam um ar meio intelectualizado, estava muito calmo e falava baixo. Dava para notar que ele media cada palavra e estava muito cauteloso naquele momento.

Ao confirmar que gostaria de fazer a delação, o próximo passo seria removê-lo do presídio para o Deic, em São Paulo, para que a investigação fosse feita a partir dos elementos que ele fornecesse. Tudo foi acertado. Havia a necessidade de autorização judicial para proceder com a delação, e isso foi providenciado pelo Ministério Público e pela polícia.

Dias depois, Geleião foi retirado do isolamento e levado para São Paulo em um carro descaracterizado. Deve ter sido a primeira vez que ele andou em um veículo que não fosse um camburão, pois demonstrava espanto ao ver carros passando.

Havia pouca gente nos carros que iriam seguir junto, para não chamar a atenção, e não seriam feitas paradas. Era essencial que os outros presos não o vissem sair. Foi um esquema cuidadoso, montado pela direção do presídio. Nada vazou. Ou seja, o PCC não soube que seu ex-líder tinha sido removido secretamente para o Deic, onde faria a tal delação.

No dia 8 de novembro de 2002, às 8h30 da manhã, Geleião começou a falar. De cara ele já esclareceu vários homicídios, bem como as circunstâncias que envolveram a morte de Ana Olivatto. Várias situações foram esclarecidas. Foi um depoimento histórico.

Fora das formalidades, em conversas que ele permitiu que fossem gravadas, ele desenrolou o fio da meada, começou a contar como tinha decidido criar o PCC, como foram criadas as centrais telefônicas, como tinham sido feitas as remoções para outros estados, da vida nos presídios, os motivos das suas ações, sua história no crime desde a primeira infração, quando ainda era menor de idade. Foi a primeira de várias entrevistas.

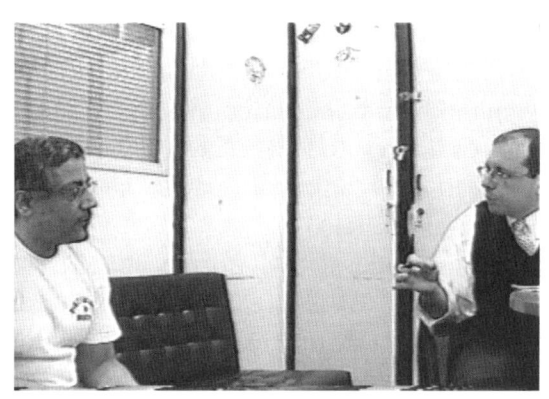

Geleião (à esquerda) delata o PCC para o promotor Marcio Christino

Ele delatou Nego Manga, um dos autores da morte de Sombra; Zildo, um dos planejadores da fuga do Cara Gorda; Ceará, irmão da Aurinete e assassino de Ana Olivatto; como era organizado o tráfico de drogas na região de Ribeirão Preto – um de seus feudos –; como se fazia lavagem de dinheiro; quem era Magaiver e sua participação no caso do carro--bomba; que Reinaldo Danelucci, o Neguinho, era o interlocutor com o

Comando Vermelho; o papel dos advogados na organização. Também falou da morte de Antônio da Costa Santos, o Toninho do PT, prefeito de Campinas assassinado, segundo ele, a mando de Andinho.

Geleião narrou outros tantos atentados que haviam fracassado, como contra a Associação dos Agentes Penitenciários, e reiterou que a única advogada que não funcionava como pombo-correio era justamente Ana Olivatto, que trabalhava em prol de Marcola, por quem nutria sentimentos mesmo depois de se separar dele. Indicou a mãe de Gulu, dona Rosa, como pombo-correio e confirmou que as bombas da Barra Funda e da Bolsa de Valores tinham a finalidade de afetar também as eleições. Também confessou ter mandado pôr uma bomba no fórum João Mendes, o que efetivamente aconteceu, mas não teve grandes consequências porque a bomba era de pequeno impacto. Mesmo assim, ela danificou um andar do fórum que estava vazio.

Essas delações deram início a uma série de investigações e, meses depois, em 26 de fevereiro de 2003, a acusação foi formulada e todas as lideranças ligadas a Marcola que estavam soltas foram detidas e isoladas no RDD de Presidente Bernardes junto com aqueles que já estavam detidos e figuravam também na acusação. Assim, pela primeira vez desde a sua criação, todos os líderes do PCC estavam isolados.

Essa foi a Operação 2, organizada a partir das informações e dados fornecidos por Zé Márcio Felício.

Também foi feita uma acusação de formação de bando e quadrilha, para caracterizar a ação do PCC. O julgamento foi realizado meses depois, e foi a situação mais próxima de um processo envolvendo "mafiosos" que o Brasil já havia visto até então. Foram 17 acusados.

Era, teoricamente, uma audiência normal. Foi realizada no plenário do júri do fórum da Barra Funda, mas os réus permaneceram onde estavam, em Presidente Bernardes, pelo temor de um resgate. Instalou-se, então, uma teleaudiência que foi prontamente contestada, mas que, no fim das contas, acabou sendo realizada.

Havia um promotor e cerca de 20 advogados, além de repórteres e policiais de todas as forças. Na sala, em Presidente Bernardes, montada para abrigar os presos durante a teleaudiência, havia uma mesa onde estava o equipamento eletrônico, a tela, e eles se sentaram em ordem hierárquica. Na frente estavam Marcola e Carambola, cada um usando um tênis Nike, novo, na cor vermelha.

A pressão dos advogados era tremenda. As questões levantadas por eles são as mesmas que estão sendo feitas atualmente na Lava-Jato: o benefício do acusado, sua credibilidade, a necessidade de apuração, o isolamento dos novos elementos, a importância da delação como elemento fundamental.

A audiência, na verdade, ocorreu em dois dias. No meio da audiência do primeiro dia, um dos líderes, impressionado com a ação de um advogado, resolve num impulso contratá-lo, demitindo o outro no ato.

– Vou contratar o senhor, quero que o senhor trabalhe para mim.

Isso foi feito justamente quando ia começar o depoimento de José Márcio Felício, o mais esperado daquele momento.

Quando Geleião entrou no plenário, o silêncio tomou conta do lugar. Pela primeira vez, um dos líderes ia ser colocado frente a frente com os outros líderes para uma acusação. Será que ele ia fazer mesmo?

Era grande a expectativa sobre Geleião manter seu depoimento, caso contrário a acusação seria seriamente prejudicada e dificilmente alguém seria condenado.

Julgamento de Marcola, com depoimento de Geleião (ao centro)

Mas Geleião não se acovardou. Sentou-se e logo encarou Marcola friamente. Depois olhou diretamente para os líderes da organização que ele havia criado e começou a depor. Primeiro acusou Marcola. Depois foi indo numa sequência e, a cada acusação, olhava diretamente para o réu responsável por ela. A primeira frase dele sobre Marcola foi sua declaração mais impactante:

– O Marcola é o líder do PCC e nada acontece sem que haja a concordância dele.

E depois sustentou todas as acusações que já tinha feito. Em decorrência desse processo, todas as lideranças foram condenadas e isoladas por um ano. Essa audiência foi parâmetro para tudo que veio depois.

Esse foi o momento em que o PCC foi mais atingido em sua estrutura. Se no Brasil houvesse uma legislação que permitisse um isolamento maior, uma condenação mais efetiva, talvez o PCC tivesse acabado ali. Mas, infelizmente, por mais que se faça, não há sistema jurídico no país capaz de subjugar uma organização dessas e com esses elementos.

Após a audiência, Geleião foi tirado do fórum e levado a Bernardes. A partir daquele momento ele tinha que ser protegido, e o único lugar seguro era o próprio presídio de Presidente Bernardes.

Novamente Geleião foi deslocado numa viatura comum. Ele ficava deslumbrado com os carros, as construções, prédios de apartamento. Fizeram uma parada para usar o banheiro, e ele quase arrancou a torneira da pia – ao tentar lavar as mãos, não sabia que bastava aproximá-las do sensor.

***

A delação não apresentou o resultado desejado, porque um ano depois Marcola já estava de volta ao sistema prisional, e, desta vez, até um pouco mais forte porque Geleião fora proscrito. Afinal, tinha se tornado um delator, um traidor, o que era uma conduta imperdoável para alguém do mundo do crime. Ele segue protegido pelo sistema até hoje, isolado num presídio federal.

Muito embora tivesse sido uma vitória todo esse processo, a situação do PCC não foi revertida. Permanecia e é assim até hoje: uma organização forte e extremamente perigosa.

Um das benesses da delação de Geleião, no entanto, foi ter mostrado a organização por inteiro pela primeira vez. Teve-se a noção efetiva de como a facção funcionava.

Geleião, como relatado anteriormente, não se sentiu vencido porque Marcola assumira em definitivo a facção que ele tinha criado. Afinal, ainda estava vivo. E, diante do *modus operandi* do PCC, isso já era uma vitória. Zé Márcio Felício tinha conseguido, efetivamente, seu intento.

CAPÍTULO 23
O JUIZ JULGADO E CONDENADO

Era 14 de março de 2003, uma sexta-feira, final de expediente de um dia quente em Presidente Prudente (SP). Um Vectra preto sai do fórum conduzido pelo juiz Antônio José Machado Dias, responsável pela condução dos processos que cuidavam da execução da pena de todos os presidiários da região. Era ele quem decidia os benefícios que cada um recebia, que pegava em mãos as queixas dos presidiários contra qualquer tipo de irregularidade, de abuso que houvesse ocorrido dentro do sistema prisional. Dias era o grande fiscal daquela região pontilhada no mapa do Estado cheia de presídios, especialmente o de Presidente Bernardes e o Centro de Readaptação Penitenciária, onde era aplicado o RDD – Regime Disciplinar Diferenciado –, odiado pelo PCC.

Os detentos chamavam essa área do oeste do Estado de São Paulo de "Região dos Presidentes", já que existiam presídios em Presidente Venceslau, Presidente Bernardes e Presidente Prudente. E costumavam dizer que a região era dura porque, além do clima quente, as penitenciárias eram de regime fechado. Machadinho, como era conhecido Antônio

José Machado Dias, era tido como um juiz duro e inflexível para os presos – como de fato era –, e isso significava, segundo eles, que o juiz negava benefícios mesmo que houvesse pressupostos para tal concessão. Ainda segundo os presos, o juiz fazia vista grossa para os maus-tratos e denúncias contra diretores de presídios. E não foi por outro motivo que o juiz Machado já tinha sofrido diversos tipos de ameaça e costumava ser escoltado pela Polícia Militar quando se locomovia.

Às vezes, ele dispensava o aparato porque não se sentia um alvo e não reconhecia nenhuma ação sua que pudesse ser declarada injusta.

Não havia precedente no Brasil de que uma organização criminosa tivesse tramado a morte de um juiz. Ao contrário, geralmente as ameaças eram fatos específicos, motivadas por vingança pessoal. E as decisões tomadas pelo juiz Machado não tinham nenhum rasgo de pessoalidade, ele seguia sempre o mesmo critério. Se o critério era duro ou não, isso era outra questão. Mas ele não individualizava nenhuma de suas decisões.

Ele costumava jogar futebol às sextas-feiras, ocasião em que costumava dispensar as escoltas. Nesse 14 de março, ao sair do fórum, andou uma quadra, fez uma curva, entrou na Rua José Mariano, uma via estreita e curta, quando percebeu à esquerda dele um Fiat Uno branco desviando em sua direção, na tentativa de interceptá-lo.

Para evitar a batida, Machado virou o volante por reflexo, desviou do Uno, subiu na calçada e bateu de frente numa árvore. A porta do motorista ficou encostada em um muro, impedindo que ele saísse rapidamente. Provavelmente Machado não estava entendendo o que se passava. Quando ele se virou para ver por que o outro motorista tinha jogado o carro em cima dele, se deparou com um sujeito em pé ao seu lado empunhando uma pistola 9 mm. Por pura reação ele levantou seu braço direito na frente do corpo, mas isso não serviria de proteção. O atirador disparou o primeiro tiro, que atravessou o braço. Em seguida, um segundo tiro no peito e, por fim, um último tiro na cabeça quase que de cima para baixo. Esse tipo de disparo é o chamado "confere", na gíria dos matadores. É o tiro da morte, que garante o sucesso do crime.

O atirador e o motorista que o acompanhava saíram do local a pé calmamente. Abandonaram o Uno, imaginando que não tinham deixado nenhuma pista para trás. Viraram à esquerda, andaram duas quadras, entraram em outro veículo, um Gol, onde um terceiro motorista já os esperava, em seguida fugiram.

O barulho e os tiros chamaram a atenção daquela cidade calma, num horário sem grandes ocorrências e ao lado do fórum, de onde, inclusive, saíram algumas pessoas achando que se tratasse de um roubo. Mas logo que saíram viram o Vectra do juiz, todos conheciam aquele carro, e perceberam o que havia acontecido. Não era um roubo, mas sim uma execução. Nada fora roubado. A cidade entrou em polvorosa, e a notícia correu imediatamente.

O comandante da PM foi avisado imediatamente pelo primeiro policial que chegou ao local do crime. A notícia subiu rápido pela hierarquia. Chegou ao delegado-geral e deste para o governador. O presidente do Tribunal de Justiça e o procurador-geral de Justiça foram avisados também em questão de minutos.

Começaram as primeiras indagações: seria uma ação única? Haveria outros alvos nos próximos dias? Haveria outros atentados? Rebeliões de apoio ocorreriam ou não? Seria um ato isolado? Ninguém sabia. Não havia nenhuma informação. As polícias foram colocadas imediatamente em alerta, inclusive a Polícia Federal. Assim que as autoridades policiais de Presidente Prudente tiveram ciência do fato, determinaram as primeiras reações com cercos nas estradas, bloqueios e viaturas nas ruas para evitar outros atentados.

A possibilidade maior era que Machado fosse o único morto, sem novos atentados. Mas havia o precedente de execuções paralelas recentes. Era preciso cuidado.

Naquela época, Fernandinho Beira-Mar tinha sido levado para Presidente Bernardes em razão de atentados ordenados por ele no Rio de Janeiro.

Também estava claro que a execução tinha sido na sexta-feira porque no fim de semana era mais difícil mobilizar as equipes e reunir pessoas para fazer um planejamento de ação completa, também porque nesse dia se dispensavam as escoltas. Enfim, o homicídio na sexta-feira dificultava de alguma maneira que houvesse a reunião de esforços. Algumas equipes viajavam, algumas pessoas se distraíam, às vezes havia dificuldade de comunicação, mas, nesse caso, essa dispersão não ajudou muito porque na hora que ele morreu a notícia se espalhou e a ação foi imediata.

No começo não ficou muito evidente quem iria coordenar essa investigação e como ela seria feita. O corpo do juiz foi levado para São Paulo, para ser velado na sede do TJ, na Praça da Sé. A esposa dele (também juíza) prestou um depoimento corajoso e emocionado na televisão, visto em todo o Brasil no *Jornal Nacional*. As comparações com a morte do juiz Giovanni Falcone pela máfia na Sicília foram inevitáveis.

Enquanto a notícia se espalhava e as primeiras providências eram tomadas, os matadores fugiam usando o Gol branco, abandonado poucos quarteirões depois. Os matadores foram resgatados por um Omega – no carro também estavam duas prostitutas, então eles circularam como dois casais em viagem pela região.

Ao saírem da cidade, no Omega, eles chegaram a ser parados por policiais rodoviários na saída de Presidente Prudente e apresentaram documentos falsos. As falsificações estavam tão bem-feitas que conseguiram enganar os policiais. Os documentos foram feitos de antemão, especificamente para serem usados naquela situação.

Saindo de Presidente Prudente, os membros do PCC foram primeiro para Araçatuba, depois seguiram para Lins, Bauru, Piracicaba, Sorocaba e São Paulo.

Chegando a São Paulo, foram direto para a favela do Vietnã, no bairro do Jabaquara, zona sul da capital. Ao entrarem na favela, os bandidos colocavam o corpo para fora do veículo e davam tiros para o alto para comemorar a morte do juiz. Foram para um barraco, e toda vez que a televisão dava a notícia da morte gritavam que eles haviam conseguido o que os outros tentaram – era uma referência a uma tentativa anterior em que os executores tentaram invadir a casa do juiz pulando o muro, mas o alarme foi acionado – a sinalização os assustou e eles tiveram que fugir. Dessa vez não teve erro, eles diziam claramente: "Agora não tem erro, nós somos os matadores do juiz, nós conseguimos".

Passado o choque inicial, a pergunta que mais se ouvia entre as autoridades era se Fernandinho Beira-Mar estava envolvido no episódio.

Beira-Mar era um dos líderes do CV, tinha ordenado atentados no Rio de Janeiro e por tal motivo fora trazido para o RDD em Bernardes. Temia-se que, como vingança, tivesse mandado matar o juiz tal como havia feito com os atentados no Rio de Janeiro. Era muita coincidência. Mal ele chegou e o juiz foi assassinado. Era uma conexão viável e, sobretudo, provável.

Mas como isso poderia ser checado?

A solução mais simples era ir até Bernardes e perguntar diretamente a ele. Ninguém esperava que Beira-Mar confessasse, que tivesse o mesmo comportamento confessional direto de Cesinha, mas era uma tentativa. A ideia era ver sua reação e seu ânimo naquele momento. Saber se havia algum motivo dentro desse contexto que pudesse levar a essa reação. E assim foi feito.

Os promotores foram até Bernardes. Fernando parecia uma pessoa simples e até humilde. No tempo em que esteve em São Paulo, nunca apresentou nenhuma resistência de comportamento ou de atividades. Não se podia atribuir nada a ele. Foi um preso que cumpria as regras de maneira rigorosa. O interessante é que ele se mostrava bem-informado sobre o que havia acontecido com o juiz Machado. Ele só começou a se preocupar quando a conversa tomou um rumo que ele não previa. Ele sabia da morte do juiz, apesar de não ter acesso à televisão. Assim se deu a conversa entre ele e Marcio Christino, um dos autores deste livro:

– Fernando, você aparece aqui depois de causar aquela confusão no Rio de Janeiro, o juiz aparece morto logo depois, isso vai acabar caindo na sua conta porque você é o único fator de desestabilização. Só que, se você fez isso, irá acabar pagando aqui também, não vai pagar em outro lugar e vai ser uma situação muito mais grave de quando você estava no Rio de Janeiro. Se você não fez, você vai acabar pagando do mesmo jeito porque vão jogar isso para cima de você. Você precisa pensar no que pode acontecer. Você está numa situação muito delicada.

Ele responde:

– Olha, doutor, eu não tenho nada a ver com isso, eu não ganharia nada com isso, nem conhecia esse juiz, não sabia dele, então não tem por que essa suspeita, não tem nenhum fundamento.

— A gente sabe, mas você chegou aqui para passar um tempo e voltar, agora, se você estiver envolvido nessa morte do juiz, não vai voltar, vai ficar aqui.

Beira-Mar reclama das condições severas e que queria voltar para o Rio de Janeiro. E acrescenta:

— Eu não ganho nada com isso, não sei quem fez, não tenho contatos aqui, não fui eu.

— Você sabe então que de qualquer forma a gente acaba chegando em quem foi...

— Eu não sei quem foi, mas em dois dias eu descubro.

— Mas como?

— Deixa eu falar com a minha advogada e depois disso me dá dois dias que eu descubro quem matou o juiz. Ela está aqui no presídio, se deixar eu falar com ela eu descubro. Mas, se eu descobrir, vou querer uma coisa.

— O que você quer?

— Voltar para o Rio de Janeiro.

Parecia um pedido razoável, já que ele estava mesmo de passagem. Cedo ou tarde iria voltar para o Rio.

— Em princípio concordamos, mas vamos ver.

O diretor foi chamado e informado de que Beira-Mar queria falar com a advogada. O diretor consentiu.

Após uma rápida conversa com Beira-Mar, a advogada saiu do presídio muito apressada. De Bernardes ela foi direto para outro presídio bem distante e que na época também era RDD: Avaré. Chegando lá, no dia seguinte, ela foi falar com o diretor, pedindo visita a um preso – disse que tinha urgência em falar com ele. O preso com quem ela pediu para falar por determinação de Beira-Mar era Marcos Willians Herbas Camacho, o Marcola. Ou seja, Beira-Mar tinha mandado sua advogada perguntar para Marcola quem tinha matado o juiz. Ela só não contava com a vigia que a acompanhava desde que saiu de Bernardes até a hora em que chegou a Avaré. Isso demonstrou que havia uma ligação evidente entre Beira-Mar e Marcola. Essa ligação não era nova, já que na Operação 1 a menção feita por Marcola a Beira-Mar numa escuta tinha ocorrido, mas era um vínculo muito fraco.

Vale lembrar que Alejandro, irmão de Marcola, sempre teve uma relação muito próxima com os traficantes cariocas, sempre passou muito tempo no Rio de Janeiro.

A seguir, a conversa entre a advogada de Fernandinho Beira-Mar e Marcola, no presídio de Avaré, segundo algumas informações recebidas pelas autoridades.

A = advogada; M = Marcola

A – Ele mandou te perguntar com quem ele pode contar lá.
M – A senhora visita ele lá?
A – É.
M – Vai fazer ligação entre eu e ele!
A – Pois é.
M – Ultimamente você falou com ele quando?
A – Ontem.
M – Ele tá preocupado, né?
A – Ele queria que eu viesse aqui ontem!
M – É por causa do juiz que morreu?
A – Botaram na conta dele.
M – Ele tá preocupado com isso, ele deu azar de vim (sic) no momento errado pra cá. O que eu posso fazer pelo Fernandinho (risos)?
A – Não sei, ele só perguntou em quem ele pode confiar. Quem são os amigos de vocês por lá. E se você sabe alguma coisa da execução desse juiz, que estão querendo colocar na conta dele. Ele me disse que se foi alguém dele, vão botar na conta dele, se não foi alguém dele, ele está tranquilo, entendeu? (risos)
M – Esse juiz aí é um carrasco, entendeu, doutora? Várias pessoas foram vítimas desse cara, muita gente tinha interesse em matar esse cara aí.
A – Dizem que o primeiro suspeito é o Fernando, depois com o negócio do carro ser roubado há um mês, descartam essa hipótese, e vão botar culpa no PCC. Agora tão dizendo que o PCC também não tem nada a ver, e tão pondo a culpa num pessoal de Ourinhos, então a gente fica perdida.
M – Mas interessa ao Fernandinho saber alguma coisa disso?

A – Interessa!
M – Por quê?
A – Não sei!
M – Ele saber alguma coisa não vai mudar em nada a vida dele, entendeu? Eu gosto dele, ele sabe disso, já falei muito com ele, só que neste caso específico a única coisa que eu posso dizer pra ele é que ele chegou no momento errado aqui em São Paulo, que a gente sabe que ele não tem nada a ver com isso, mas que isso já estava previsto há uns três meses, eu sabia que isso poderia acontecer, e pode acontecer mais naquela região ali, porque ali é muita pressão, a senhora sabe disso, a senhora esteve lá em Bernardes. A senhora sabe como é!
A – Como assim?
M – Muita pressão dos caras lá em cima dos presos, quer dizer, não tem como lutar, a única luta que tinha era com esse juiz aí, que era o corregedor e tal, só que ele não via nada, não queria saber de nada, quer dizer que a única forma de coibir um pouco a agressão que os presos sofrem lá é intimidar, né, doutora? Eu acredito que a morte desse juiz foi mais para punir do que intimidar.
A – É, parece que acharam um papel que ligava você ao crime!
M – A mim?
A – É.
M – Não!
A – Isso eu li no jornal hoje, tô te passando o que li no jornal, parece que era um bilhete que estava saindo daqui de dentro, e até chegar a você foi pego numa porta, um funcionário pegou antes de você perceber e estava escrito assim: "A operação foi feita com sucesso", alguma coisa assim. "A cirurgia foi mareada e a operação foi feita com sucesso", alguma coisa assim, a polícia está entendendo assim, que a execução do juiz foi cumprida, entendeu?
M – Eu tô isolado, totalmente isolado, minha advogada vem só quinta-feira.
A – Só tô falando o que eu li no jornal hoje, e que os promotores vão vir aqui te ouvir também, entendeu?
M – Vamos por partes, doutora (risos).
A – É que tô tentando lembrar o que tem, porque eu tinha anotado, mas não me deixaram entrar com anotação nenhuma. Tenho uma lista, e quem estaria

encabeçando essa lista, eu tenho cinco nomes. E quem estaria encabeçando essa lista seria um promotor que parece estar se cagando de medo.

M – É, doutora? Meu nome já foi ventilado então?

A – Já.

M – Ah! Tô pensando que...

A – Não! Já tá todo mundo falando. Eu cheguei aqui, todo mundo sabia que eu era a advogada do Fernando porque saí em todos os jornais.

M – Esse bilhete tá no jornal, doutora?

A – Parece que esse bilhete ia chegar até você, estava repassando de um para o outro e o guarda pegou.

M – Mas não tem nada de concreto, né?

A – Não, de concreto, não.

M – Tá dando muita repercussão essa morte aí?

A – Nossa, a cidade lá de Bernardes fez uma manifestação pra tirar o Fernando de lá.

M – Como foi a morte do juiz? A senhora pode me contar, doutora?

A – Como é que foi a morte? Parece que ele estava saindo do trabalho, do fórum, não sei! Acho que pegaram ele!

M – De carro?

A – Fecharam ele, o Fiatinho fechou ele e já deram uns tiros, ele perdeu a direção e bateu numa árvore!

M – E já morreu?

A – Morreu!

M – Um tiro só?

A – Não, foram quatro tiros, eu só sei que um bateu na cabeça, então morreu!

M – Não tem pista de ninguém?

A – Tem! Já tem retrato falado de duas pessoas, testemunhas anotaram a placa do carro, né? Tem o retrato falado de duas pessoas em todos os lugares e jornais.

M – A represália, qual vai ser, você sabe? E a retaliação do governo?

A – Tá demais, tá uma coisa assim! O país se comoveu, porque de alguma forma é um atentado contra o governo, né? Poder paralelo, enfim.

M – O cara era o maior carrasco, doutora!

A – O Fernando...

M – Fala pra ele, doutora, que foi mau envolver ele nessa situação, mas tem certas coisas que não tem como parar, entendeu? Mas a intenção jamais foi atingi-lo, porque ele é um cara que a gente até considera, só que infelizmente ele veio no momento errado e isso não tinha outro jeito. O que acontece em Bernardes, e esse juiz como corregedor, ele encobria, a gente não tinha outra opção. É complicado (risos), mas, enfim, nada que fosse diretamente pro Fernando, entendeu? O fato de ele ter vindo causou repercussão pra ele, mas acho que já...

A – Já tá descartado.

M – Quanto à situação do juiz, doutora, não posso falar nada, entendeu? (risos). Faltam 30 dias para mim sair daqui (sic), eu estou há cinco meses nesse regime, entendeu? Só falta nesses últimos 30 dias esses cara me arrumar mais um jeito de me segurar mais um ano, isso agora me preocupou! Você acredita? Tinha que ter esperado eu sair para esse cara... Tá bom, o que tem que ser, que seja. Só diga pro Fernando que nos encontramos em situações similares, mas (risos) que desta vez eu estou prejudicando um pouco ele, mas não é porque eu quero, não! Simplesmente não sabia que ele iria vir para cá.

M – E a morte do juiz?

A – Agora tem a morte do juiz, e a esposa dele está falando, falando!

M – Ele era velho esse juiz aí?

A – Não era não, devia ter uns 40 anos, a esposa dele é bonita e nova, juíza também!

M – Tá bom, doutora!

A – Tá grávida! Tadinha!

M – Ah, doutora! A senhora não imagina quantas milhares de pessoas sofreram por causa desse juiz aí!

A – Eu tô boiando!

M – Até o Leãozinho sofreu com esse cara aí! O Leomar, pergunte para ele, se a senhora tiver condições, um dia a senhora vai ver quem é esse cara que morreu, pior do que nós, bandidos. Só porque ele tinha a respeitabilidade de ser um magistrado, instiga aí, usar o poder que ele usava pra fazer o que ele queria fazer. Entendeu, doutora? Então quer dizer que tão pondo minhas fotos tudo de novo, doutora?

A – Tá, saiu hoje.
M – Dizendo que eu mandei matar o juiz?
A – É! Por causa do bilhete, alguma coisa que dizia que a cirurgia foi mareada e a operação foi executada, mais ou menos assim.
M – (pausa) Vou ter que pensar numa resposta (risos), se eles pegarem os assassinos e falarem alguma coisa. Fora disso é especulação, vou processar os jornais que tá pondo minhas fotos (risos)... Diga ao Fernando que lamento que tenha ocorrido isso com a presença dele, mas eu acho que até ajuda ele.

O ponto alto desse diálogo seria a afirmação de que a morte de Machado não havia sido uma intimidação, não havia sido feita para atemorizar ou para ser uma ação midiática. A morte de Machado era uma ação punitiva. Essas informações deram às autoridades três respostas:
– Tinha sido uma ação do PCC.
– Foi vingança pelas decisões de Machado.
– O líder do PCC, Marcola, era o mandante, ou um dos mandantes, ou pelo menos aquele que deu a autorização para que o crime ocorresse.
A manobra de deixar a advogada falar com Marcola e provocá-lo, ver qual seria sua reação, com o suposto diálogo que confirmava ser ele o mentor e dando as razões da morte de Machado, foi uma ação que teve um sucesso evidente. Pelo menos mostrava a linha de investigação e dava certeza daquilo que se pretendia, ou seja, o que tinha acontecido e o porquê. Isso daria o norte das investigações.
Mas, se a morte foi executada de maneira profissional, o controle da informação sobre a ação por parte do PCC não foi perfeito, porque estando no presídio de Avaré, que naquela época era RDD, um regime de isolamento, Marcola precisava saber se o plano tinha dado certo ou não. Em Avaré, as janelas das celas não eram fechadas com vidros como em Bernardes. Em Avaré eram grades. Os presos costumavam se comunicar fazendo bolinhas de papel, amarradas num barbante com bilhetes. Colocavam o braço do lado de fora da janela e balançavam o barbante até que alcançasse a grade da cela ao lado. O preso da cela vizinha pegava a bolinha, puxava o barbante, balançava e mandava para

a cela do terceiro. E assim esse recado seguia um caminho até chegar ao seu destinatário.

Naquela noite aconteceu isso: a bolinha começou a ser passada de um lugar para o outro. Um bilhete assinado por Rogério Jeremias de Simone, o Gegê do Mangue, um dos traficantes mais perigosos e violentos de São Paulo. Ele escreveu uma mensagem a Marcola com o seguinte teor:

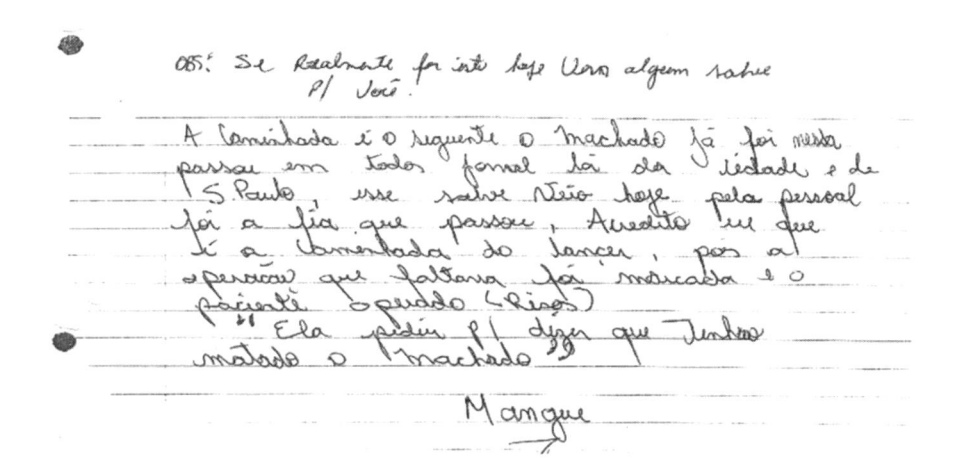

> OBS: Se Realmente for inté hoje Uma alguem sabe p/ você.
>
> A caminhada é o seguinte o machado já foi nesta passou em todos jornal lá da cidade e de S.Paulo, esse salve Não hoje pela pessoal já a fia que passou, Acredito eu que é a comentada do lance, pos a operação que faltava já marcada e o paciente opedido (Rings)
> "Ela pediu p/ dizer que tinhamos matado o machado"
>
> Mangue

Era a notícia da morte do juiz, que a operação tinha sido feita.

Só que, durante o percurso da bolinha, um agente penitenciário puxou o barbante e apreendeu o papel com o recado. A apreensão desse bilhete abriu uma nova ponta na investigação, já que nele aparecia o nome de uma mensageira encarregada de levar a notícia para dentro do presídio.

A mensageira tinha o apelido de Fia. Rosangela Legramandi Perez, a Fia, era responsável pelo fretamento dos ônibus para as famílias que visitavam os presos no interior. Ela era muito ligada ao Gegê do Mangue – supostamente havia sido companheira dele.

Fia foi presa em 26 de março de 2003 e, com ela, foram apreendidos documentos da contabilidade do PCC, ou seja, ela não era só uma mensageira. Ela tinha também acesso e controle da contabilidade e era parte da organização. O círculo começou a se fechar.

***

A investigação detalhada começou na cena do crime, com as provas e análises técnicas. O Uno branco foi a pista principal, bem como os vestígios deixados pelos assassinos. Constatou-se a primeira suspeita pela placa do veículo AAX-2118, que, claro, não era a original do carro, e seu chassi tinha sido reconstituído. Ou seja, era um carro dublê.

Por que a placa foi colocada dessa maneira? Por que a placa tinha de ser regular? Por uma questão simples: numa cidade como Presidente Prudente, no interior, as placas de carros de outras cidades chamam muita atenção e não era isso que os executores queriam. Portanto, tinham providenciado a produção, confecção e lacração de uma placa especial de Presidente Prudente, para que o carro pudesse ser usado sem despertar suspeitas.

Por fim, foi pesquisado o chassi do carro e se descobriu a sua numeração original. O carro na verdade tinha a placa KKQ-5319, de Jaboatão dos Guararapes, Pernambuco, e havia sido roubado pouco tempo antes, no início de fevereiro, em São Paulo. A meada ia se desfiando.

Mas ainda faltava descobrir onde e como tinha sido feita a placa falsa de Presidente Prudente. Quem havia roubado o Uno? Foram determinadas duas linhas de investigação: a placa falsa e o roubo do Uno. Tudo foi descoberto a partir de perícias técnicas. O cadastro revelou que o emplacamento havia sido feito no Detran do Shopping Aricanduva, zona leste de São Paulo. O despachante que fez o emplacamento do carro foi identificado, já que o sistema do Detran mantém seus dados. Ele, por sua vez, indicou um indivíduo com apelido de Jony como o receptor das placas. João Luidi, o Jony, foi identificado como sendo o indivíduo que recebeu as placas usadas no veículo utilizado na morte do juiz.

Então veio a surpresa: o carro não havia sido roubado. O dono do carro havia simulado o roubo e entregue o veículo para um terceiro. Era o famoso golpe do seguro, de quem quer se livrar do carro e o vende informando depois que o carro foi roubado, talvez mesmo para não se envolver na prática do crime.

Ao ser interrogado pela polícia, o dono do carro confirmou que tinha passado o veículo para "um tal de Jony". Era óbvio que Jony trabalhava para alguém, que ele sabia de tudo e foi o responsável pela operação. Jony teve a prisão decretada – ele era o caminho para se chegar ao mandante.

A repercussão da morte do juiz atingiu o Brasil inteiro, mas na região de Prudente o impacto foi maior. A polícia agora tinha a foto de Jony e começou-se a pesquisar nas cidades vizinhas, em hotéis, pensões, pousadas, postos de gasolina e outros estabelecimentos comerciais.

A busca deu resultado. Regente Feijó é uma pequena cidade perto de Presidente Prudente e foi num pequeno hotel de lá que um funcionário reconheceu a pessoa da foto. Jony não ficou hospedado no hotel, mas ia e voltava com outros três elementos, esses, sim, hospedados por três ou quatro dias e que tinham ido embora no mesmo dia em que o juiz Machado fora assassinado.

Diante dessa informação do número de hóspedes, era necessário que fossem identificados. Porém, os documentos anotados no hotel não ajudaram, pois provavelmente eram falsos. O que se conseguiu apurar foi que, nesses dias, eles receberam uma prostituta local. Ela foi identificada rapidamente pelos funcionários do hotel e encaminhada à delegacia para prestar depoimento. A mulher deu descrições bem detalhadas do aspecto físico dos outros três homens, hóspedes do hotel. Segundo ela, um deles teria algumas cicatrizes no abdome. Com esse detalhamento físico, havia a possibilidade de se fazer o cruzamento de dados que levasse a uma primeira identificação. E assim foi identificado o primeiro dos executores: Ronaldo Dias, o Chocolate.

Finalmente, por meio das ligações feitas pelo celular de Jony, comprovou--se que ele esteve em Presidente Prudente nos dias anteriores e também no dia do crime. Jony não só fornecera o apoio material, ele estivera lá. Obviamente isso o colocou no meio do crime, agravando sua situação.

No dia da morte de Machado, descobriu-se que Jony fizera ligações para vários outros celulares, o que levou à identificação de outro executor: Reinaldo Teixeira dos Santos, o Funchal. Uma triangulação foi feita e, pelas ligações do telefone do Funchal, chegou-se a Adilson da Guia, o Di ou Ferrugem. Nessa caçada telefônica, o número de celular de Liliane, a namorada de Funchal, apareceu, e ela foi encaminhada para interrogatório. Em seu depoimento, Liliane entregou o nome de Funchal e dos outros.

O crime estava esclarecido: sabia-se quem havia preparado a operação, quem eram os executores e como a fuga se deu. Também descobriram-se as razões do crime e quem havia sido o mandante. O grupo fora reunido por ordem do PCC, a mando ou com o consentimento de Marcola e de Júlio Cesar Guedes de Moraes, o Carambola.

Jony, apurou-se depois, era o encarregado de providenciar a infraestrutura necessária e as armas para a ação. Além de preparar o Uno, Jony também tinha um veículo Omega Suprema, que foi usado na fuga e chegou à favela. A Beretta 9 mm, a arma do crime, também tinha sido providenciada por ele e foi comprada no Rio de Janeiro. Durante dias o juiz Machado foi seguido por dois carros. Seu percurso foi estudado para descobrir uma rua que fosse estreita o suficiente para permitir que o carro do juiz fosse fechado pelo Uno branco – uma rua próxima ao fórum serviria bem para o bloqueio. Essa vigilância revelou aos criminosos a trajetória feita até sua casa e o fato de ele dispensar a escolta às sextas-feiras.

No dia anterior ao assassinato, Di vestiu um terno, entrou no fórum, foi até a sala do juiz para ter certeza de quem ele era. Ninguém desconfiou de nada. Em seu depoimento, ele disse que identificou o juiz pela placa na porta da sua sala.

Pelo interrogatório descobriu-se como se deu o crime com detalhes, expostos por Jony:

– Di dirigiu o Uno e Reinaldo dos Santos, o Funchal, ficou incumbido de atirar no juiz; Ronaldo Chocolate os estaria esperando, para daí empreender a fuga em outro carro, já que o Uno foi abandonado no local do crime.

Tudo aconteceu exatamente como planejaram. O juiz Machado saiu do fórum sem nada desconfiar, com uma viatura da PM que seria da escolta à frente. No primeiro quarteirão ele virou à direita e a viatura prosseguiu, porque ele havia dispensado a escolta, como sempre fazia. Di estava dirigindo e seguiu o Vectra do juiz; logo que ele entrou no quarteirão da rua estreita, Di entrou atrás. O que se seguiu já foi relatado anteriormente.

***

O trabalho primoroso de cruzamento de dados dos celulares revelou toda a evolução do crime, inclusive quando após a execução foram feitas as ligações, não somente para confirmar a morte, mas para contatar Jony para a fuga.

As peças principais desse xadrez criminoso foram o Uno e a conversa com Beira-Mar. A fase que deu mais trabalho foi a prisão dos executores. Jony estava preso, mas ele não sabia onde os comparsas estavam. Marcola e Carambola estavam no sistema prisional, eles haviam consentido e dado as ordens, mas não tinham noção de quem eram os executores e onde estavam.

As diligências foram intensas. Reinaldo, Chocolate e Di sabiam que estavam sendo caçados e tomavam todos os cuidados possíveis, eram profissionais e evitavam ao máximo deixar qualquer tipo de pista. E ainda contavam com a proteção do PCC, que lhes pagava o suficiente para que se mantivessem bem instalados e longe dos olhos dos curiosos. Mas isso não foi suficiente.

Chocolate foi o primeiro a cair, após muitas diligências e intensa vigilância dos familiares e de sua namorada. Pela intercepção telefônica descobriu-se que suas breves ligações para parentes partiam de uma região de densidade urbana grande, de muitos prédios de alto padrão na cidade de Praia Grande, litoral sul de São Paulo. Como suas ligações eram de rápida duração, era difícil determinar sua localização exata. Mas a situação se resolveu por si. Chocolate acabou ligando para uma pizzaria, encomendou uma entrega e o atendente pediu um número de identificação. Ele o forneceu sem indicar o endereço, pois era um cliente cadastrado no estabelecimento, então só com o código a pizzaria sabia onde entregar a encomenda. A pizzaria foi localizada e a polícia foi até o local. O dono chegou a relutar em indicar o endereço de entrega, mas ao ver a grande equipe de polícia que batia à sua porta, acabou revelando.

Era um prédio próximo e o apartamento ficava no 12º andar. Um imóvel de luxo. No dia seguinte, pela manhã, a Polícia Civil havia montado a equipe tática. Optou-se por uma aproximação silenciosa, discreta, com apenas seis policiais à paisana para não chamar atenção, e sem armas ostensivas (como fuzis e metralhadoras). Essas armas poderiam até ser levadas e deixadas nos carros, mas não poderiam ser portadas no momento da abordagem, porque a ideia era surpreender Chocolate sem que ele pudesse reagir e fazer alguém de refém.

Um grupo de três policiais entraria no prédio usando um elevador, o outro elevador seria inutilizado e ficaria travado. Outra equipe com dois policiais ficaria no térreo perto do elevador, e um terceiro do lado de fora para impedir eventual fuga. Os carros usados seriam descaracterizados, não teriam qualquer sinal de identificação. Se preciso, iriam cortar a luz após a equipe subir até o 12º andar. E assim foi feito.

O primeiro carro chegou com uma equipe, o segundo carro, uma Kombi, levou mais policiais e um deles cometeu um erro que seria totalmente prejudicial à ação: desceu do carro de bermuda e camiseta, mas carregando uma pasta de trabalho tipo 007 porque os agentes queriam levar uma arma mais pesada e usaram a pasta para escondê-la. Porém, um indivíduo de bermuda, chinelo, camiseta, levando uma pasta 007 não é algo comum, mesmo numa cidade praiana. Ao descer da Kombi, o policial ainda contou com o azar de Chocolate ter acabado de acordar e aberto a janela do quarto. Ele olhou para a rua e percebeu: "É truta da polícia".

Os três policiais que subiram já estavam chegando ao 12º andar. Arrombaram a porta e entraram violentamente no apartamento, que estava silencioso. Os agentes se espalharam e revistaram os cômodos com cautela porque sabiam que Chocolate era um indivíduo violento e dele poderiam esperar qualquer coisa. Nada.

Chocolate fizera uma jogada esperta. Ele saiu do apartamento, subiu um andar e ficou escutando a polícia derrubar a porta e entrar. Quando a polícia derrubou a porta e todos entraram com foco voltado para revistar o apartamento, ele desceu correndo para o térreo. Os policiais lá em cima demoraram até perceber isso e desceram correndo atrás dele pela escada. Esse curto espaço de tempo foi suficiente para Chocolate ganhar uma dianteira. Pouco antes de chegar ao térreo, ele diminuiu o passo, se arrumou, respirou fundo e passou calmamente pelos policiais que estavam de olho no elevador. Chocolate saiu de bermuda e camiseta pela escada, disse bom-dia aos policiais, que acharam tratar-se de um morador. Ele já estava saindo do prédio quando os policiais perceberam o erro e partiram para cima dele.

Chocolate conseguiu pular um muro alto. Um dos policiais que estavam em seu encalço sacou a arma, mirou, mas foi impedido de atirar.

– Não, a ordem é pegar ele vivo – disse-lhe um colega.

Já era tarde demais. Chocolate sumiu. Ele correu até um carro que estava estacionado ali por perto, entrou e saiu disparado. Do celular, ligou para um comparsa:

– A polícia está atrás de mim, estão na cola.

O comparsa respondeu:

– Vá para o lava-rápido, me espera lá que vamos mandar alguém pegar você.

Chocolate foi até o local combinado e aguardou. O erro dele foi ter feito o contato justamente com o celular que estava grampeado. A polícia ouviu tudo o que ele falara e os policiais foram atrás dele à paisana, pois temiam uma nova fuga de Chocolate. Prepararam-se, pois, ao ser dada ordem de prisão, mais criminosos poderiam aparecer, já que ele estava aguardando o resgate dos comparsas.

Chocolate usou novamente o telefone:

– Já me pegaram aqui, para onde eu vou?

E o comparsa falou:

– Você vai para o Rio de Janeiro, nós vamos arrumar um lugar para você ficar, é melhor. Aqui em São Paulo está ficando molhado para você, está difícil.

Os policiais se entreolharam, pois não havia saído nenhum veículo de dentro do lava-rápido. Os policiais entraram e descobriram que havia uma saída por trás. Todos os carros se dirigiram então para a Rodovia dos Imigrantes, por onde Chocolate fugia em direção a São Paulo. Foi então que Chocolate desconfiou que o celular estivesse grampeado. E chamou o comparsa:

– Daqui em diante vou usar outro celular, este aqui deve estar molhado – estar "molhado" significava que estava grampeado.

Veio a pergunta do outro lado da linha:

– Qual você vai usar?

Ao informar o novo número, Chocolate não teve uma atitude inteligente. Imediatamente, quando souberam do novo número, os policiais ligaram para a juíza corregedora, pediram uma nova interceptação, explicaram que não dava tempo de traduzir isso em processo – e a lei prevê essa possibilidade de ser referida e regularizada depois. A juíza concedeu a ordem por telefone e determinou a expedição do mandado, autorizou a interceptação e poucos minutos depois o telefone do Chocolate já estava sendo monitorado.

Mas ele estava muito adiante, o motorista guiava muito rápido. Os policiais pensaram que se continuassem nesse ritmo era possível que entrassem em algum lugar e então não seria mais localizado.

Os policiais ligaram para a Polícia Rodoviária e pediram que se fizesse um bloqueio na Rodovia dos Imigrantes. Até os policiais rodoviários acionarem um oficial e começarem a pegar o material para o bloqueio, e por mais rápido que fossem, Chocolate foi ainda mais rápido e passou pelo local antes que o bloqueio fosse montado. Um dos carros descaracterizados da polícia passou também, mas o bloqueio parou a estrada e das três viaturas que estavam sendo utilizadas, duas ficaram presas.

A perseguição durou quase todo o caminho da subida da Imigrantes e também do trecho de planalto. O comparsa guiando com Chocolate ao lado, em alta velocidade, e os policiais atrás da mesma forma, se aproximando, mas sem conseguir contato.

Eles acabaram chegando a São Paulo, e o carro do Chocolate entrou no túnel Maria Maluf, onde a sorte começou a mudar, porque se até o momento havia sido só estrada, daquele ponto em diante era o trânsito infernal da capital paulista atuando a favor dos homens da lei.

O carro de Chocolate teve que parar em meio ao trânsito e cem metros atrás parou o carro com os investigadores. E agora? O trânsito poderia fluir, o carro com Chocolate andar e virar em qualquer rua, daí seria muito difícil localizá-lo de novo. Então os dois policiais tiveram que tomar uma decisão rápida: desceram do carro no final do túnel Maria Maluf, trânsito intenso, um de cada lado, entre as faixas, e começaram a correr a pé até o carro de Chocolate.

Um dos policiais levava um fuzil Ruger alemão, que havia sido apreendido com um traficante. Ele avisou por rádio:

– Nós estamos seguindo a pé porque o carro do Chocolate está parado, nós temos que ir dessa forma até lá senão ele vai acabar escapando.

Nesse instante, o trânsito começou a andar lentamente. O policial parou, se posicionou com o fuzil, apontou e disparou. Era um fuzil tão potente que a bala passou pela lataria, perfurou o pneu e entrou na parte de ferro da roda e a estourou. Chocolate pulou no colo do motorista, que perdeu o controle do veículo e parou. Chocolate pensou que seria morto. Era esse o medo dele.

O policial com o fuzil parou de um lado, o outro com a pistola parou do outro lado e disseram em uníssono:

– Polícia! Caiu! Vocês perderam! Pode parar!

Eles então se renderam. Os outros policiais que ficaram atrás estavam chegando, eles também tinham largado o veículo e saíram correndo. Chocolate foi retirado do carro algemado. A procura tinha acabado. O primeiro dos executores estava preso.

Levado para o Deic, Chocolate começou um discurso que provavelmente já havia sido ensaiado para o caso de ser preso. Ele admitiu o crime, disse que tinha agido a mando de Bandejão (um dos líderes do PCC que havia sido morto alguns meses antes). Mas isso já se sabia ser uma versão mentirosa. O próprio Bandejão havia procurado o Ministério Público para fazer delação e tanto ele quanto sua mulher haviam sido mortos por causa disso. Como ele já tinha começado a passar informações à polícia, não fazia sentido ter sido ele o autor da ordem para matar o juiz.

***

Restava prender os outros dois executores: Funchal, o autor dos disparos, e Di, o motorista do carro e também um dos grandes planejadores do PCC.

Duas pistas indicavam o paradeiro de Funchal: primeiro, as ligações feitas por Chocolate pelo celular e, segundo, um informante para quem Chocolate ligava. O mesmo problema da investigação anterior para localizar Chocolate se repetia. O telefone para onde ele ligou e que se rastreou indicava um grande condomínio de casas de luxo em Angra dos Reis, mas não se conseguia determinar em qual casa ele estava instalado. Um primeiro estudo da polícia mostrou que uma entrada forçada não daria certo em razão do tamanho do empreendimento. Desconfiaram também que Funchal pudesse contar com a ajuda dos porteiros.

A ação teria que ser discreta. Primeiro, localizar a casa e entrar no condomínio sem serem notados, sem que os porteiros soubessem. Tinha que ser como os policiais falam na gíria deles: "na mão do gato". Uma policial de São Paulo, ajudada por uma do Rio de Janeiro, simulou o interesse de alugar uma casa nesse condomínio por um dia apenas. Pagaram um sinal e alugaram uma casa por R$ 500,00. Havia uma moradora que fazia locação das casas de veraneio nesse condomínio, um lugar muito disputado. Quase todas as locações eram feitas por essa senhora, moradora do condomínio.

As duas policiais chegaram ao condomínio de carro e, no porta-malas, carregavam uma carga inusitada: dois delegados. Alugado o imóvel, chave entregue, as policiais entraram na casa, os delegados saíram do carro e também entraram no imóvel sem que ninguém os visse. Ali permaneceram por um dia inteiro. À noite, as duas policiais, acompanhadas dos dois delegados, foram até a residência da tal senhora que alugava as casas. A possibilidade de que a locação tivesse sido feita por intermédio dela era grande, e dessa vez a conversa foi em outro tom. Eles não queriam alugar nada.

– Senhora, nós somos policiais – já mostrando as fotos de Funchal – Nós queremos o endereço deste elemento.

A pressão deu certo.

– Claro, eu indico a casa onde ele está.

Mais que passar o endereço, ela cedeu uma casa exatamente ao lado da de Funchal para que fosse usada pelos policiais. Então passaram a observar o que estava acontecendo e decidiram invadir a casa antes que a demora acabasse prejudicando a diligência ou, pior ainda, que ele fugisse, já que Chocolate tinha sido preso e era possível que pelo celular ele pudesse ser localizado.

A ação seguiu com os dois delegados entrando pela frente. Funchal, muito perceptivo e desconfiado, percebeu uma movimentação estranha perto da porta. Ele usava uma pistola calibre 45, arma de uso exclusivo das Forças Armadas e de grande poder de fogo.

O criminoso se aproximou da porta, na dúvida se saía ou não da casa. Ele só não contava que um dos delegados, com um porte físico mais avantajado e que, por sorte, sem saber que Funchal estava bem ali atrás, de arma em punho, deu um pontapé tão forte na porta que ela caiu, e caiu em cima de Funchal, atirando-o ao chão. Quando ele caiu atordoado, o outro policial já pulou em cima dele para imobilizá-lo. Chutaram sua arma para o lado e o algemaram, tudo em poucos segundos. Além da arma, Funchal tinha em seu poder sete quilos de cocaína pura.

Os policiais eram apenas quatro. Sabiam que essa ação poderia ter chamado a atenção de outros criminosos se fossem para a diligência em maior número. Eram de São Paulo e estavam no Rio de Janeiro, e alguém do Comando Vermelho ou de alguma outra facção poderia resolver interceder. Imediatamente o colocaram dentro do carro e se dirigiram para uma delegacia local.

A polícia carioca ficou muito descontente quando soube que a arma e a cocaína seguiriam para o Deic de São Paulo junto com o preso. Funchal, a rigor, deveria ser encaminhado para uma unidade policial do Rio de Janeiro e depois transferido para São Paulo, entretanto foi levado direto para São Paulo. E não era prudente permitir que Funchal fosse para o sistema prisional fluminense, pois ali não estaria isolado e sua transferência para São Paulo poderia demorar muito tempo, o que comprometeria as investigações do caso.

Ao chegar ao Deic, Funchal apresentou a mesma versão de Chocolate: dizia que tinha sido o Bandejão o autor da ordem de morte. Ele era o segundo que dizia isso, mas nenhum dos dois sabia que Bandejão já tinha procurado o Ministério Público. Logo, essa versão se mostrava falha. Até porque, na diligência feita em Presidente Bernardes pela advogada de Beria-Mar, Marcola havia dito que a morte do juiz Machado tinha sido uma punição pelas suas atitudes, ou seja, praticamente assumiu que tinha sido o mandante.

***

Preso o segundo dos executores, restava agora o terceiro, considerado o mais perigoso deles, Adilson da Guia, o Di, muito ligado a Fernando Beira-Mar. Não havia informante ou interceptação que levasse à sua localização. Ele logo começou a ser chamado de "joia" ou de "tesouro", porque era valioso, todo mundo queria prendê-lo, mas ninguém conseguia pegá-lo. Havia notícias de que ele estava gravemente doente, com aids em estágio terminal, que fugira do país, que estava no Rio de Janeiro por sua ligação com Beira-Mar, que tinha pensado em se entregar. Eram tantas as histórias que talvez ele mesmo as estivesse estimulando para que a perseguição diminuísse ou enfraquecesse de alguma maneira.

Nos grampos feitos nos telefones do PCC procuravam-se nomes, alguma ligação, mas nenhuma pista aparecia. Dentro do organograma havia um nome: Tigrão. Ele era um fantasma, porque ninguém sabia exatamente quem era. Não havia foto dele, não havia prontuário, não havia digitais. Até que se descobriu seu nome: José Wilson, identificado como idealizador de um sequestro na região do ABC paulista e que tinha sido preso, mas como não havia provas, acabou solto. Descobriu-se também que ele era um perito falsificador ou que tinha contatos com falsificadores. Os boatos o indicavam como a pessoa que havia providenciado os documentos falsificados que Chocolate, Funchal e Di tinham usado na barreira da Polícia Rodoviária no dia da morte do juiz Machado. Mas essas informações não levavam a lugar algum. Fora isso, existia a informação de que ele tinha uma deformidade em uma das mãos, o que poderia ajudar numa identificação. A falta de dados já demonstrava que Tigrão era extremamente habilidoso, que era inteligente e conseguia evitar a vigilância policial. Mas a demora em localizá-lo estava prestes a terminar.

Apurou-se que Tigrão compareceria a uma reunião com Eva, uma advogada que trabalhava para o PCC, fazendo o papel de pombo--correio, conectando presos. Ela era namorada de um traficante forte na organização, bem conhecido, chamado Sherley, o Fininho. Era um grupo de segundo escalão, mas ligado a Marcola. Restava descobrir se o tal Tigrão que iria a essa reunião era o mesmo que se buscava.

Os policiais montaram uma tática para ir até o lugar do encontro. A equipe ficou por perto, e uma informante ligada ao PCC foi infiltrada no encontro. Ela entrou rapidamente para passar um recado, usando um equipamento de filmagem, e saiu. Ao analisar as imagens, Tigrão foi identificado através justamente daquilo que ele mais escondia, a mão defeituosa. Mas o mais surpreendente foi verificar que junto do Tigrão estava Adilson da Guia, o Di.

Na verdade, os dois não estavam só ligados, se escondendo juntos, os dois agiam juntos. Foi a grande surpresa da diligência.

A equipe que monitorava Tigrão se reuniu rapidamente e se preparou para invadir a casa. Antes da invasão, a advogada Eva e o traficante Sherley terminaram a reunião e foram embora. Não foram presos porque não foram vistos saindo e também porque a prioridade era prender Tigrão. Além disso, os telefones desses dois estavam interceptados, poderiam ser localizados com facilidade depois.

Os policiais derrubaram a porta e ali dentro encontraram, parados, Tigrão e Di, absolutamente calmos, sem esboçar nenhuma reação. Tinham sido pegos de surpresa.

O último dos executores do juiz Machado estava preso. E com um troféu a mais: um dos maiores cabeças de operações do PCC.

***

Crime esclarecido, autores presos, restava o julgamento.

As provas tinham que estar todas conectadas para ter sentido: a conexão entre as ligações telefônicas, a hierarquia de Marcola e de Carambola. Foi um trabalho extremamente difícil, feito pelo promotor de Justiça Criminal Carlos Alberto Marangoni Talarico.

Era preciso até convencer os jurados de que eles não sofreriam represálias, porque os próprios jurados tinham, e ainda têm, medo.

A morte do juiz não trouxe nenhum benefício para o PCC; muito pelo contrário, o combate à facção ficou mais duro, à semelhança do que ocorreu na Itália com o juiz Giovanni Falcone – um dos maiores algozes da máfia italiana, conhecido pela Operação Mãos Limpas e assassinado em 1992, quando seu carro foi pelos ares pela ação de explosivos colocados na estrada pela qual passava.

As instituições afrontadas reagem com rigor em qualquer país do mundo. Para os executores também não houve lucro. Todos foram condenados a penas entre 29 e 30 anos de reclusão em regime inicial fechado. Estavam envolvidos em outros crimes e também começaram a ser condenados por eles.

Dentro do PCC foram recebidos como heróis e passaram a receber rendimentos de boca de crack como prêmio, mas, agora, estão perdendo grande parte da vida atrás das grades. Tanto não valeu a pena que o próprio PCC nunca mais agiu de modo semelhante. E mais: a repressão à facção aumentou em razão dessa morte, portanto os levou a um grande prejuízo.

Essa morte ficou marcada como a primeira grande ação criminosa feita pelo PCC de Marcola e terminou de uma maneira totalmente desfavorável para o crime organizado.

CAPÍTULO 24

UM TIRO NA VÊNUS PLATINADA

Iracema era diretora jurídica de uma Organização da Sociedade Civil de Interesse Público (Oscip) chamada Nova Ordem. Uma Oscip é uma espécie de ONG com tratamento jurídico diferenciado e que, no caso, tinha objetivo declarado na defesa dos direitos e interesses de presidiários. Ivan Raimundi era o presidente da organização.

Quando agentes da polícia começaram a investigá-los, desconfiados da ligação da Oscip com a facção criminosa, foi verificado que era financiada em suas atividades por uma tal Simone, ligada ao PCC. A listagem das despesas, apreendida posteriormente, era bem detalhada e quase toda a receita da Nova Ordem vinha de doações feitas por intermédio de Simone.

Ficou claro então que o PCC, pela primeira vez, tinha criado uma organização formal, uma pessoa jurídica e atuante, que não somente servia para dar uma aparência de legalidade às suas atividades. Além de dar vazão à lavagem de dinheiro, proporcionava vantagens às lideranças como objetivo principal, mas, sobretudo, permitia uma pressão política. Eles tinham como objetivo criar e transmitir uma nova imagem da organização, menos nociva. E aproveitavam essa nova forma de se apresentar, focada nos direitos humanos dos presos, para fazer críticas ao sistema penitenciário e sua administração, mas principalmente para combater e tentar neutralizar o RDD (Regime Disciplinar Diferenciado), caracterizando-o, sempre que possível, como forma de tortura ou de tratamento desumano. Também se aproveitavam de discussões propostas por entidades de direitos humanos e até de pessoas de boa vontade que, supostamente, combatiam o arbítrio do sistema e se infiltravam, usando essas oportunidades para popularizar seu discurso, ganhar força e se apresentar como atores no jogo político.

Para atingir suas finalidades, Ivan, Iracema e os outros membros da Nova Ordem criaram e buscaram fazer a divulgação de suas ideias. Eles faziam denúncias e as propagavam, dizendo que havia agressões contra os presos, e citavam diversos tipos de opressões que, eles diziam, o sistema penitenciário impingia a eles.

Mas o sucesso era pífio porque tais denúncias eram infundadas, não tinham bases, não havia provas, eram as palavras deles contra as do sistema, do Estado. Por isso eles eram seguidamente rejeitados. Também não conseguiam atenção da mídia. Contataram diversos jornalistas de vários meios de comunicação, principalmente jornais e televisão, porém sem êxito.

O alvo principal das queixas era o presídio de Presidente Venceslau. Era óbvio, lá estavam os dirigentes do PCC. Faziam as queixas contra a instituição e queriam que a flexibilização fosse dada ao regime de cumprimento de pena das lideranças da organização criminosa.

Quando viram que não conseguiriam transformar as reivindicações em notícias, passaram a mudar a estratégia. A Oscip tinha um site e publicaram uma lista com todas as autoridades e, principalmente, jornalistas que haviam sido contatados e não atenderam suas reivindicações nem divulgaram qualquer referência ou notícia.

"Falamos com o juiz corregedor e ele não nos recebeu, não deu atenção..." "Falamos com o jornalista fulano e ele não publicou nada a respeito dos maus-tratos."

Isso acabou se tornando uma forma eficiente de pressão em cima dos jornalistas porque incitava a família e as pessoas de relacionamento dos presos a reagirem contra esses profissionais da imprensa.

A imprensa, por sua vez, protestou contra a atitude. Mas Ivan não se intimidou e manteve a lista no ar pelo site da Nova Ordem. Muitos jornalistas passaram a temer que o PCC deflagrasse represálias contra quem se recusasse a atender as exigências, o que era um medo factível, já que a Nova Ordem se apresentava como uma legítima representante dos interesses prisionais e taxava os jornalistas como pessoas que estavam se omitindo e, dessa forma, contribuindo para a perpetuação da situação dos presos.

Ivan queria que um manifesto do PCC fosse publicado nos grandes veículos de comunicação e chegou a mandar orçar como matéria paga uma publicação tanto nas TVs quanto nos jornais. Mesmo se dispondo a pagar, não conseguiu seguir em frente com essa estratégia, porque nem as redes de TV, nem os jornais se dispunham a publicar manifestos de uma organização criminosa mesmo que encoberta por uma suposta organização de direitos humanos. Na verdade, defensora dos direitos das lideranças criminosas da população carcerária, comprometida com a facção.

Ivan, então, pede autorização às lideranças para usar um recurso extremo.

***

Embora a Nova Ordem suscitasse interesse, não havia nenhum indicativo de que pretendiam executar alguma ação, até porque Ivan, se descobriu, era ex-policial e investigador, tomava todas as precauções para maquiar toda e qualquer ação – já que ele, por ter pertencido ao sistema que regia a segurança do Estado, sabia muito bem como as instituições funcionavam.

***

No dia 9 de agosto de 2006, Fernando J. entregou seu veículo Vectra prata para o manobrista do Vila Rica, um bar elegante, de classe média alta, na Vila Olímpia, zona sul da capital paulista.

Ao sair do bar, horas depois, Fernando pediu o carro, mas o veículo não apareceu. Havia sido furtado. Enquanto o responsável pelo estacionamento, o dono do carro e o proprietário do bar discutiam sobre quem pagaria a indenização, o Vectra já estava longe, levado pelo agora ex-manobrista Luciano José da Silva, vulgo Luciano Gordinho.

Luciano passou com o carro por diversos locais até entregá-lo, no dia seguinte, no Brooklin – um bairro também de classe média alta da zona sul –, para Sérgio Moura da Silva, conhecido como Mufamba, de quem recebeu o pagamento pela missão: R$ 400. Mufamba acionou então um amigo dele, Douglas Dias de Moraes, o Du, foragido do sistema prisional e que havia sido recrutado pelo PCC. Os dois haviam sido escolhidos para executar uma missão para um indivíduo conhecido como Anderson Luís de Jesus, o Boi, um antigo informante de Ivan. Resumindo: Ivan acionou Anderson e este acionou Du e Sérgio Mufamba.

A ação prosseguia. Um dia antes de acontecer, Ivan e Anderson Boi trocaram inúmeras ligações, provavelmente para ajustar os últimos detalhes.

Ivan ligou para a financiadora da Nova Ordem, Simone Barbaresco – esse era seu sobrenome –, dizendo que tudo em sua vida dependeria do dia seguinte, fazendo algum tipo de prognóstico. O que ele não sabia é que, por ser o presidente da Oscip, que, por sua vez, estivera envolvida de alguma maneira em atentados orquestrados pelo PCC, ele já estava sob investigação.

Em 12 de agosto de 2006, por volta das 8 horas, na Avenida Engenheiro Luís Carlos Berrini, no Brooklin, Du e pelo menos outros seis comparsas, entre eles provavelmente Sérgio Mufamba, estavam na entrada de uma pequena favela situada a duas quadras da padaria União Fialense. É um local bem próximo das instalações da Rede Globo de Televisão, em São Paulo. Nessa padaria, equipes de reportagem da Globo costumam parar para tomar café.

Um desses carros da emissora, com o logotipo estampado nas laterais, parou, e dele desceram o jornalista Guilherme Portanova e o cinegrafista Alexandre Calado. Eles não tiveram nem tempo de tomar café. Tão logo colocaram os pés fora do carro, aproximou-se o Vectra furtado por Gordinho e entregue a Mufamba. Desse veículo desceram cinco sequestradores que, de arma em punho, obrigaram Portanova e Calado a entrar no porta-malas do Vectra. Arrancaram em alta velocidade sem que pudessem ser vistos.

Eles andaram cerca de cinco minutos até a Avenida Portugal, na altura do número 1.509, no mesmo bairro. Lá chegando, abandonaram o Vectra na rua, tiraram os reféns do porta-malas e os colocaram no porta-malas de outro veículo. No mesmo instante aproximou-se uma motocicleta preta e prata com dois ocupantes não identificados. Eles traziam consigo um galão de gasolina, derramado imediatamente no carro. O fogo ateado ao veículo era para destruir qualquer vestígio do crime, dificultar ao máximo a investigação.

Em instantes o sequestro dos dois funcionários chegou ao conhecimento da Rede Globo. Havia certa confusão no ar, pois não se sabia exatamente o que havia acontecido. Os rádios da equipe estavam inoperantes e a polícia foi acionada.

Diversas pessoas da Globo conheciam a cúpula da Polícia Civil e quase todas as autoridades ligadas à área de segurança. Em questão de instantes as instituições estavam em alerta.

Novamente a velha preocupação: haveria outros ataques?

Equipes especializadas em crimes de sequestro foram acionadas. Sem mais informações, sem nenhuma pista, o jeito era aguardar.

Enquanto isso, os reféns eram levados até uma garagem onde ficaram confinados dentro do carro por 14 horas. Pouco antes das 22 horas eles foram encapuzados. Portanova teve a permissão para suspender parcialmente seu gorro e foi obrigado a ficar com a cabeça abaixada e ler uma carta.

Em seguida, os sequestradores disseram para os reféns que o vídeo que lhes seria entregue deveria ser visto várias vezes e eles queriam que fosse veiculado no *Fantástico*.

Portanova foi colocado novamente dentro do porta-malas de um carro, dessa vez amarrado, e o cinegrafista Alexandre Calado foi em outro veículo, levado até perto da sede da Rede Globo, no mesmo local em que havia sido sequestrado, e ali foi solto. Nas mãos dele foi deixado um DVD e, dessa forma, Calado se tornou o mensageiro das exigências do

PCC. Para os policiais estava claro quem eram os autores e quais eram os objetivos. Em tese, eram os membros da organização criminosa. Parecia mais uma ação terrorista, não havia parâmetros desse tipo de ação criminosa, mas era evidente sua característica política.

O objetivo era especificamente divulgar o PCC, fazer propaganda da organização, já que não havia resgate, não exigiram qualquer tipo de ganho patrimonial. Haveria poucas horas para que essa exigência fosse cumprida, e, portanto, sem tempo para investigação.

O impasse foi criado. Exibia-se o vídeo ou não? A questão não era legal. Era essencialmente moral. Quanto valia a vida do jornalista e o que seria do jornalismo com a morte dele? Quais seriam as consequências políticas dessa ação?

As questões eram: se a emissora cedesse, isso significaria que novas ações semelhantes ocorreriam? As redes de televisão ficariam sujeitas a esse tipo de pressão? Vale lembrar que fatos parecidos aconteceram na época de Pablo Escobar, na Colômbia.

Seja como for, todos esses fatos foram ponderados, e a Rede Globo resolveu veicular o vídeo, embora, no entendimento da polícia, o ideal seria não fazê-lo.

Quando se aproximava a hora de o vídeo ir ao ar, Portanova foi levado a um segundo cativeiro, num terreno baldio. Ele permaneceu ao relento do sábado para o domingo com os pés e as mãos amarrados, em meio à vegetação, usando um blusão com o capuz puxado para baixo para dificultar sua visão. Tinha que urinar em garrafa plástica.

No dia seguinte, 13 de agosto, ele foi desamarrado e levado a um terceiro cativeiro. Era um terreno próximo de onde ele já estava, pois foi andando. Ele lembra que o mato era alto e havia árvores. Lá ele foi amarrado novamente – só soltaram as mãos para permitir que ele comesse.

Recebeu então um pedaço de pão e um refrigerante. Permaneceu ali até o vídeo ser exibido pelo *Fantástico*, no domingo à noite, 40 horas após ser sequestrado.

Portanova foi colocado com o rosto coberto novamente no porta--malas de um carro e libertado em uma via do bairro do Morumbi, onde pediu socorro para vigias de uma rua. A polícia foi acionada, e ele foi resgatado imediatamente.

O PCC conseguira seu intento novamente, e, mais uma vez, havia uma investigação a ser feita. O foco naquele momento estava na Nova Ordem. A segurança eletrônica começou a ser reanalisada, na busca de referências, ligações que fizessem a ponte entre o sequestro e a Nova Ordem. Era uma questão de estudo das provas, detalhamento para saber em que momento haveria esse link que viesse a esclarecer os fatos.

O ponto de partida foi o Vectra furtado no bar Vila Rica. Assim como na elucidação do assassinato do juiz Machado fora importante a investigação do Fiat Uno, a análise do furto do Vectra podia também levar a uma linha de investigação.

Os policiais foram até o bar Vila Rica para ver de que modo o Vectra havia sido furtado. Os policiais passaram um pente fino e começaram a pressionar os manobristas, que acabaram por dizer que o colega que havia pegado o Vectra, o Gordinho, sumira. Ou seja, na hora os policias souberam que não só podia ter sido ele o autor do furto, mas que também soubesse algo sobre o sequestro. Já existia uma pessoa objeto de ligação com o crime. Ele era um dos membros que participaram do sequestro ou estava ligado a algum dos autores.

Outro ponto de partida era Ivan, que já era investigado. Nessa vigilância averiguou-se que ele ligava constantemente para um telefone: de Anderson Luís, o Boi, seu antigo informante. Boi também passou a ser monitorado. No entanto, eles falavam muito pouco ao telefone temendo ser interceptados.

Quatro dias depois do sequestro, em 16 de agosto, Anderson Boi recebe uma ligação da namorada, Gabriele, assustada:

– Olha, o Du foi preso pela PM.

E Boi pergunta:

– Que Du?

E a resposta de Gabriele surpreende a todos que ouviam a interceptação

– O Du, aquele que sequestrou o jornalista da Globo.

Era o que faltava. Boi sabia evidentemente quem era o sequestrador do jornalista. Ele estava envolvido nessa ação.

– Não fala, desliga aí, desliga, desliga – foi a ordem desesperada de Boi. Restava saber quem era esse Du que fora preso. Localizá-lo nem foi muito difícil. Bastou verificar o local e a hora da ligação, procurar quem fora preso na região naquele dia. E descobriu-se quem era Du.

Gabriele pensou que a prisão de Du fosse por causa do sequestro, mas, na verdade, ele fora preso por acaso. Du era foragido do sistema penitenciário. Uma viatura da polícia simplesmente parou num bar, fez uma geral e, ao passar as características dele pelo rádio, constatou-se que era um foragido. Simples assim. Com ele preso, foi fácil apurar toda a movimentação feita com o Vectra roubado.

Muito embora Ivan tenha concebido um sistema de compartimentalização das informações, ou seja, ele não entrava em contado direto com o Du, o Mufamba e o Gordinho, ele só falava com o Anderson Boi, ele não conseguiu evitar ser identificado.

No primeiro julgamento, os presos pelo sequestro dos funcionários da Globo foram absolvidos, mas condenados depois no Tribunal de Justiça, que reverteu a decisão do juiz da Primeira Instância. Nesse tipo de crime conta muito a presença de elementos indiciários, já que não se tem uma prova direta. Por exemplo, permanece desconhecido, até hoje, o local usado como cativeiro e a identificação dos demais participantes. Porém, foi possível a identificação da cabeça organizadora e dos principais executores.

Foi o fim da Nova Ordem e desse tipo de estratégia de intimidação da mídia.

***

A extinção da Nova Ordem não impediu que outras entidades surgissem com o mesmo intuito, mas elas passaram a ter uma postura mais cautelosa. Também não freou o PCC, que continuava a se desenvolver cada vez mais. O foco visou outros estados e, a partir de 2006, deixou de usar intermediários e passou a adquirir as drogas diretamente dos produtores, principalmente da Bolívia, de modo a maximizar seus lucros. Iniciou-se uma montanha-russa criminosa: a prisão de alguns não diminuía o poder do comando, mas as células se recuperavam e se reintegravam. E um novo ciclo de crescimento surgia. E tudo isso levou a outro caminho.

CAPÍTULO 25

SEJA FEITA A SUA VONTADE

A noite do dia 12 de maio de 2006 parecia ser como tantas outras na capital paulista, com madrugada tranquila e temperatura amena. Em uma rua do bairro da Lapa, próximo ao prédio da Polícia Federal, num grande sobrado com fachada de mármore marrom e uma garagem embaixo, fechada com grades e com grandes janelas de vidro fumê, dormia Marilene CS, vulgo "Marlene" – ninguém sabia ao certo se era um apelido ou simplesmente uma confusão com o nome. Ela dava as cartas na chamada "Célula Oeste".

Eram precisamente 2h17 quando o celular tocou e acordou Carla, uma subordinada de Marlene que passava a maior parte do tempo conversando e passando mensagens aos presos ligados ao "partido". Do outro lado da linha estava Leandro SQ, o Gigante ou Lelê, liderança do PCC que, na hierarquia, estava acima dela. Ele foi curto:

– Chegou um Salve.

Marilene entendeu que o assunto era sério e o recado vinha diretamente das lideranças maiores.

– Chegou um Salve Geral – repetiu. – É para atacar ônibus, mercados grandes, comitês políticos, que você sabe de quem. Põe faixas com a frase "Fim da opressão carcerária". É para pichar muro também. Você combina como vai botar fogo com eles aí que eu já avisei o Marrom (Robson JS) e o Queixada (Kenneth OS).

Marilene não questionou nem discutiu, limitou-se a dizer um "tá bom" e se comprometeu a providenciar tudo.

Ainda era noite quando Marilene saiu com uns lençóis velhos e rasgados em tiras, para poder fazer as faixas, e latas de tinta spray para escrever os dizeres.

Em seu Ford Ka azul ela se dirigiu ao local de um dos primeiros incêndios, mais precisamente na Rua Professor José Lourenço, 772, Vila Zatt, área do 87º Distrito Policial. Estacionou o veículo e ficou à espreita, observando o terminal de ônibus próximo dali. Não tardou para que dois ônibus encostassem no terminal para seguir viagem depois. A adrenalina subiu, ela estava pronta e só temia que uma viatura policial passasse ali por acaso. Nesse ínterim, ainda teve sangue-frio para discutir com Leandro Gigante, seu superior, sobre o que deveria estar escrito nas faixas. Mas não dava mais para esperar. Marilene saiu do carro e, no primeiro muro que encontrou, estendeu a faixa "Fim da Opressão Carcerária" e depois avisou pelo rádio:

– A faixa tá estendida! O fogo tem que subir.

E voltou correndo para o carro.

Foi então que Marrom, Queixada e outros comparsas se encaminharam para os ônibus carregando galões com gasolina. Subiram pela porta do motorista e espalharam o combustível nos veículos. O motorista e o cobrador, que estavam do lado de fora, pensaram se tratar de um assalto e ficaram parados.

Riscaram o fósforo e o jogaram na gasolina. Nada de chamas. Outro fósforo, um terceiro, e só então o fogo surgiu numa labareda só. A indignação por trabalhar com gasolina batizada ruim que não pegava fogo de primeira tomou conta dos criminosos. Terroristas de primeira viagem. Eles desceram correndo e foram para o carro de Marilene, fugiram do local e voltaram para a Célula Oeste.

Foi o primeiro dos atentados. A onda se espalhou e, momentos depois, na Avenida Raimundo Pereira de Magalhães nº 5.864, atacaram outro ônibus. Posteriormente, ainda no mesmo local, atacaram um terceiro ônibus, agindo sempre da mesma maneira. Voltaram depois aos seus esconderijos e passaram a acompanhar outras ações pela televisão. Marilene avisa as demais células que os incêndios executados por eles estavam sendo exibidos na TV e que não iam parar.

***

Para entender melhor os ataques é preciso relembrar a forte liderança de Marcola nesse momento. Mesmo depois da morte do juiz, Camacho continuava pressionando o Estado, que cedia. Como no caso de troca dos uniformes dos presidiários, substituindo a cor amarela pela bege. Ele considerava que o amarelo era humilhante, uma cor chamativa demais, que depreciava a figura do preso – claro que não tinha nada disso, embutido no discurso da humilhação está o fato de que cores berrantes dificultavam a fuga; não à toa, nos Estados Unidos, o uniforme dos presos costuma ser laranja. O Estado, que não queria um novo confronto, admitiu a troca. Mais um gol para Marcola num jogo que não tinha fim.

Em seguida foi pleiteado o aumento do número de visitas adultas. A visita naquela época era feita por dois adultos e um número indefinido de crianças. Marcola queria que fossem quatro adultos por visita. Parece uma providência simples, mas imagine isso numa penitenciária que tem mil ou 2 mil presos com o dobro de visitantes. A chance de haver total descontrole era grande.

Era uma reivindicação fácil de ser atendida porque implicava questões humanitárias. Quanto à segurança do local, era uma incumbência do Estado zelar, garantindo o fluxo controlado das pessoas. Quer dizer, não cabia a limitação de visitantes por falha do Estado.

O verdadeiro objetivo escondido nessa exigência era comprometer o Regime Disciplinar Diferenciado. Essa sempre foi e sempre será uma luta do PCC.

Outro pedido, ainda mais abusivo, foi quando Marcola exigiu que fossem instaladas televisões de plasma em Avaré, onde ele estava preso, para que os detentos pudessem acompanhar a Copa do Mundo de 2006.

O pedido era despropositado, eles estavam cumprindo pena por uma série de crimes, muitos deles hediondos, porém era fácil atender porque não implicava risco à segurança já que não teria como usar a televisão para outros meios que não fosse simplesmente assisti-la. Porém, ceder mais uma vez demonstraria fraqueza.

Para dar um recado sobre a seriedade da exigência, Marcola determinou uma série de pequenas rebeliões simultâneas, demonstrando mais uma vez o nível de organização do PCC – em CDPs de Osasco, Diadema, Pinheiros e Tatuí.

O Estado entendeu o recado e, com receio de que fossem deflagradas rebeliões em âmbito estadual, cedeu. Porém, não totalmente. Foram instaladas 28 TVs de plasma, como exigido, na penitenciária de Avaré, onde estavam ali o Marcola, Carambola e os demais líderes.

A desculpa pela aceitação das televisões foi que os aparelhos ficariam nas áreas comuns. Os aparelhos foram entregues pelos Correios e sem nota fiscal. Depois a polícia descobriu que a compra foi feita em dinheiro numa loja de Avaré.

A ideia de que 28 televisões pudessem ser colocadas exclusivamente nas áreas comuns – nos pátios e corredores – era absurda, porque era um número enorme de aparelhos.

***

Depois de aceitar mais essa exigência, a Administração Penitenciária e o Estado, percebendo que a chantagem não teria fim, colocando em risco a existência do sistema penitenciário e, em cheque, o poder político, resolveram tomar uma iniciativa: elaborar um plano para conter o PCC de maneira mais organizada.

A reforma do presídio de Presidente Venceslau, que havia sido quase destruído em uma rebelião, estava em fase final de acabamento e teve sua finalização acelerada. Com o fim das obras, as penitenciárias receberam uma mensagem por e-mail da Secretaria de Assuntos Penitenciários determinando que fizessem uma lista com os principais membros do PCC. A secretaria pretendia colocar todos esses presos num único local. Dessa forma eles poderiam surpreender a liderança da organização e isolar seus líderes e sublíderes sem que tivessem tempo para uma reação. Era uma ideia boa.

O problema foi que, no momento em que enviaram a mensagem para as penitenciárias, o e-mail vazou para as mãos das lideranças do PCC. Ao perceberem a intenção da secretaria de isolá-los em Venceslau, um regime de segurança máxima, mandaram o "salve geral" que era uma mensagem para que fossem feitos ataques contra agentes penitenciários, comércios, comitês políticos, ônibus, que fossem feitas pichações e que deveriam se espalhar pelos quatro cantos do Estado.

O "salve" foi interceptado pelo Estado. No mesmo dia, 12 de maio de 2006, foi utilizado um rádio Nextel para passar a seguinte mensagem (a grafia é a original):

> "Salve geral. Identificar os viagras com certeza não mexer com a PM, nem com os familiares. Os atentados devem ser somente com fogo e bomba e atingir os comércios e comitês das pessoas que já sabemos quem são. Obs.: Pixar os muros contra a opressão do governo Alquimin e pedir apoio dos quatro cantos do estado. Aquele Estado que estiver com + estrutura legal nos apoiar junto nessas batalha."

Em outra mensagem de texto, o teor foi:

> "A partir das 9 horas da noite vão estar na ruas da Capital em conjunto a C, R quem tiver passagem na rua a ordem é pra assassinar! Pedimos a todos que tenha cautela inteligência e não se expor ao perigo."

O governador do Estado foi comunicado sobre os acontecimentos e imediatamente chamou o diretor do Departamento de Crime Organizado, o secretário de Segurança e mais uma série de autoridades para que estudassem uma possível ação. Porém, o consenso era de que a ordem já havia sido dada, então não havia como interrompê-la.

A saída encontrada foi antecipar a remoção dos presos listados para a penitenciária de Presidente Venceslau, que estava pronta, mas desguarnecida de móveis, colchões e outros equipamentos para receber os detentos.

A Polícia Militar ajudaria na logística e a previsão era de que a transferência seria feita em uma semana. E assim foi feito. Numa ação de elogiável logística se conseguiu a remoção de 800 presos, de vários lugares do Estado, para a distante região de Venceslau. Marcola, contudo, foi levado para o isolamento em Presidente Bernardes, mas não sem antes ser levado primeiro a São Paulo.

Quando chegaram a Venceslau, muitos presos se rebelaram. Alguns deles nem sequer eram membros do PCC e haviam sidos transferidos porque os diretores aproveitaram a oportunidade para se livrar de tudo quanto era preso problemático (alguns com distúrbios de comportamento). Na cela não havia colchão nem coberta, nada. Os detentos se rebelaram em protesto pela falta de condições habitáveis no presídio.

Para lá foi levado o Júlio Cesar Guedes de Moraes, o Julinho Carambola, o vice-rei do Marcola. Ele liderou os presos nesse protesto e se queixou das condições. Ao ser interpelado por um agente penitenciário, teve a conversa gravada. Nela, Carambola avisa que vai colocar São Paulo no chão.

ASP = Agente de Segurança Pública; JC = Julinho Carambola

ASP – Os cara aí tá falando, até o Marcola mesmo falou também, você deve ter ouvido aí, né. Agora pouco eu vim pagar o almoço aqui, e o Marcola falou que a hora que soltar vai colocar no chão.

JC – Não, mas, do jeito que tá é pra pôr no chão memo, não é só aqui. É o sistema inteiro e a rua, cara.

ASP - Mas bicho, vai adiantar, Júlio, vai adiantar, Júlio?

JC – Dessa semana em diante, o que cê vai ver na rua você não vai acreditar, cara. Por causa disso daqui de hoje. Cê não vai acreditar o que você vai ver na rua, tudo por causa disso. É comitê do PSDB, é tudo que cê imaginar. É pra acabar com o estado de São Paulo.

ASP – Rapaz!

JC – Entendeu, então é tudo em cima disso, cara. Entendeu, então por isso que eu tô falando, tem que pensar. A direção, ela tem que pensar, que ela coloca vocês na ponta de faca. Nóis é usado, vocês é usado, cara.

ASP – Muito mais humanizado...

JC – Eu sei...

ASP – ... muito mais humanizado. Não tem esse negócio de tortura mais.

JC – Você sabe por que acabou? Porque nóis começamo a catar de fuzil lá fora, cara. Por isso que acabou. Não foi o secretário que acabou. Quem acabou foi nóis, porque se bater em nóis, nóis pega lá fora, cara.

ASP – Nossa...

JC – O diretor, ele tem escolta pra casa dele. Você não tem. Nóis tem gente na secretaria... deixa eu falar pra você, nóis tem gente na secretaria puxando o computador e holerite de vocês, cara. Tem o endereço de vocês tudo, cara.

ASP – Ave Maria, tá desse jeito?

JC – O dinheiro compra tudo, cara.

ASP – Tá desse jeito?

JC – O dinheiro compra tudo. Tudo tem seu tempo.

ASP – Júlio, mas vai adiantar?

JC – Vai. Até o dia que...

ASP – Vocês mataram o doutor Machado. Não adiantou...

JC – Até o dia... melhorou, melhorou, melhorou. Então quer dizer, até o dia que eles aprenderem...

E, assim, os atentados começaram. A maior onda de atentados contra forças de segurança e alguns alvos de civis de que se tem notícia na história. No dia 14 o ataque já havia se espalhado por outros estados, como Espírito Santo, Paraná, Mato Grosso do Sul, Minas Gerais e Bahia (sem ligação direta com o PCC). O então governador do Estado de São Paulo, Cláudio Lembo, foi duramente criticado pela imprensa pela demora na resposta, falta de comunicação entre as forças policiais, falta de informação à mídia e à população em geral e gerenciamento da crise. Lembo estava havia um mês e meio no poder quando a crise eclodiu, acabou virando pivô de discórdia entre o PSDB, do ex-governador e pré-candidato à presidência da República, Geraldo Alckmin, e o PFL, partido de Lembo e aliado no pleito do final do ano.

***

O que não se sabia e não foi divulgado na época é que naquele momento o Deic e a Polícia Militar agiam em conjunto no monitoramento do PCC, que passou a ser contínuo. E estava entrando em operação o Guardião, o sistema digital de interceptação telefônica, usado pelas polícias federal, civil e pelo próprio Ministério Público, e que possibilitava fazer gravação do rádio Nextel, um sistema de comunicação muito usado na época. Os criminosos acreditavam que, usando o aparelho de rádio, estariam a salvo da interceptação.

O problema é que o equipamento previa uma quantidade de linhas passíveis de serem interceptadas, quer dizer, havia um limite. E essa limitação não permitiu que se avançasse por todas as linhas de rádio usadas nas ações, além de que os sinais eletrônicos das escutas foram comprimidos – para que eles pudessem ser ouvidos, tinham que ser descomprimidos pelo sistema, e até que isso fosse descoberto, e até que a possibilidade de descompressão fosse tecnicamente viável, aproveitável, gerou-se um delay de oito horas. Quer dizer, uma ação que ocorria às 8 só era ouvida às 16 horas. A intervenção simultânea instantânea era inviável.

No dia de um dos ataques, um bombeiro foi morto, ação executada pela célula Centro do PCC. Essa morte foi muito sentida porque o bombeiro é uma figura admirada pela população e obviamente ele não tinha qualquer atividade na repressão ao crime organizado.

O que aconteceu foi que um dos executores do PCC havia recebido a ordem de atirar na PM, mas ele, com medo, foi procurar um representante de uma corporação que não revidasse, por isso acabou por escolher o Corpo de Bombeiros. Foi até lá, deu o tiro e fugiu. A morte dramática pressionou muito o governo para uma solução.

Os trabalhos de investigação conseguiram encontrar a célula central que distribuía cocaína nos presídios e comandou a maioria dos atentados, mas isso em um momento posterior.

Os ataques prosseguiam e o delegado de polícia José Cavalcante foi chamado para comparecer ao aeroporto do Campo de Marte, zona norte de São Paulo. Lá chegando ele encontrou uma ex-delegada de polícia, Iracema Vasciaveo, esposa de um investigador que trabalhara antes com o delegado Cavalcante, ex-investigador. Iracema – a mesma personagem do episódio anterior, da Nova Ordem – dois dias antes havia procurado o delegado Cavalcante e se apresentando como intermediária:

– Eu tenho contato com as lideranças dos presos que estão causando essa crise dos atentados e posso fazer uma intermediação.

No começo essa oferta foi negada, mas depois reavaliaram e a advogada foi levada ao Campo de Marte, onde se encontrou com o delegado Cavalcante e um representante da Corregedoria de Administração Penitenciária chamado Ruiz. Cavalcante e Ruiz deveriam acompanhar Iracema até o presídio de Presidente Bernardes, o CRP de isolamento máximo que naquele momento abrigava Marcola.

Iracema se propunha a conversar com as lideranças para convencê-los a determinar o fim dos atentados.

É importante ressaltar que com ela estava Ivan Raimundi, presidente da Oscip Nova Ordem – conforme já revelado no capítulo anterior. A ordem era para levar apenas a advogada e, apesar da insistência de Ivan em ir também, ele permaneceu no aeroporto.

Quando o avião que transportava Iracema e Cavalcante chegou a Prudente, o comandante local da PM os aguardava e todos foram para o presídio de Bernardes, onde foram recebidos pelo diretor.

Marcola, escoltado por seis agentes penitenciários, os encontrou em uma sala preparada para a reunião. Ele ficou de um lado da mesa enquanto os outros se sentaram do outro lado. Sem se sentir intimidado, o detento foi quem deu início ao diálogo, muito calmo, sem demonstrar preocupação ou ansiedade, pelo contrário – talvez porque ele não tivesse noção de seu poder (hoje, essa sua percepção mudou). Mas de uma coisa ele sabia: que a pressão que estava fazendo ao Estado, ordenando os atentados, era palpável e que o Estado cederia – exatamente como o lema de Geleião.

Para Camacho era uma questão de tempo, até que alguém chegasse a ele para negociar. Então, ele simplesmente esperou. Assim o tempo passou, e quando ele foi chamado na cela já sabia o motivo.

A grande questão para ele era a seguinte: até que ponto o Estado se sentia pressionado pelos atentados às vésperas de um pleito eleitoral? A resposta, ele sabia que teria de acordo com o naipe de seus interlocutores. Se fosse apenas o diretor do presídio que o tivesse chamado, talvez ele não tivesse nenhuma grande expectativa, não representava um ganho político.

Quando ele entrou na sala e encontrou aquele grupo do outro lado da mesa, a primeira pergunta foi dele, que queria saber quem eram as pessoas que estavam ali.

– Quem são vocês? – disse o todo-poderoso do PCC.

A advogada Iracema Vasciaveo foi quem se apresentou primeiro e indicou os demais, nomeando cada um e seu posto.

A segunda pergunta de Marcola foi dirigida à Iracema:

– Você é advogada do Estado?

Apesar de parecerem autênticas, de improviso, na verdade foram perguntas muito bem calculadas e estudadas.

Se ela respondesse que era advogada do Estado, não seria um contato válido, porque não pertenceria à Sintonia dos Gravatas. Ela não seria uma advogada do PCC, seria uma advogada do Estado que estaria ali para responder pelo Estado. Para ele não significaria nada. Mas quando Iracema se apresentou, de alguma forma ele a identificou, sabia que o contato era bom ou pelo menos era alguém confiável naquele momento e para aquele fim. Muito provavelmente ele estava sentindo falta de Ana Olivatto, que seria a única pessoa que ele aceitaria de modo incontestável.

Então, o corregedor Ruiz, da Administração Penitenciária, começou a falar com o Marcola, mas foi interrompido por ele, que perguntou:

– Você é corregedor do secretário Nagashi? Se é, eu quero saber por que razão estou sendo mantido no isolamento.

O corregedor foi o único que percebeu a intenção de Marcola, que era mantê-los pressionados. Por incrível que pareça, eles, em três, não conseguiam pressionar Marcola, e o que ocorria era o inverso. Camacho foi ríspido e exigiu uma explicação.

– Não tem explicação nenhuma! – disse, firme, Ruiz.

E a conversa chegou a um impasse.

O corregedor saiu da sala e ligou para o secretário de Administração Penitenciária, com quem conversou por alguns instantes. Quando Ruiz voltou para a sala, respondeu:

– Você está aqui porque tem uma ordem legal para você ficar aqui.

A conversa prosseguiu e a advogada queria que Marcola falasse ao telefone e desse aos mandantes dos ataques uma ordem para que suspendessem as ações.

Marcola desconsiderou e disse:

– Você é inocente, a senhora sabe que eu não falo no telefone.

Ele sempre usou esse argumento, para que nunca o acusassem. Jamais gravariam a voz dele. Ele simplesmente chamava outro preso que falaria em seu nome – essa tática ele usa até hoje; o preso que fala em nome dele é chamado de "Voz".

– Eu não mandei começar, então não posso mandar parar.

Iracema relatou que havia muitas pessoas morrendo nas ruas, policial civil, militar e até um bombeiro, além de vários suspeitos. Ele entendeu que os suspeitos seriam pessoas ligadas ao PCC.

– Lamento, mas para vocês a morte de um policial vale mais do que a dos outros, podem morrer cem pessoas, mas morrer um policial vale mais, vocês não ligam para a vida dos outros.

Mas a advogada insistiu para que ele comunicasse aos comparsas que estava tudo bem, na tentativa de barrar os ataques.

Ele acabou aceitando e pediu que fosse trazido o detento LH, um preso antigo e membro do PCC, conhecido, chamado Luiz Henrique.

– Pode falar ao telefone e dizer que está tudo bem – foi a ordem de Camacho a LH.

Foi então que a advogada pegou seu celular e acionou um número da memória, colocando LH em contato com um desconhecido e com quem LH conversou. Segundo os presentes na reunião, foi dito que se eles quisessem parar que estava tudo bem. Parece que "tudo bem" era uma espécie de senha. Depois do telefonema, Marcola ressaltou que, quando o Batalhão de Choque fosse entrar nos presídios, que respeitassem os direitos dos presos.

Nessa reunião, Marcola acabou cometendo um escorregão, pois, embora ele insistisse em não assumir que era líder da facção, acabou soltando:

– Eu tenho medo de ser morto para que outro venha e assuma minha posição.

Ou seja, ele dava a entender que eventualmente essa série de ataques poderia levar a uma retaliação contra ele.

Ao final do dia, os atentados já começaram a diminuir bastante. Aproximadamente 24 horas depois, eles cessaram.

Mais uma vez, Marcola tinha conseguido. O Estado mandou uma equipe representando sua alta hierarquia para negociar com ele o fim de uma ação que estava corroendo a imagem do próprio Estado, a dias das eleições. Outro gol de Camacho, no sempre disputado jogo.

CAPÍTULO 26

CONTRAOFENSIVA

Quando os atentados de 2006 terminaram e o material colhido das interceptações começou a ser analisado, o ritmo da investigação cresceu. A análise das interceptações feitas durante a ação dos atentados confirmou a existência das células. O Ministério Público Estadual de São Paulo conseguiu determinar que a célula principal era a Oeste, com 23 membros ativos.

O próximo passo era encontrar a sede onde eles se reuniam, o que foi possível por meio de uma ligação que acertava o encontro de uma pessoa que iria levar cocaína para um dos presídios dominados pelo PCC.

O suspeito encontrou-se primeiro com uma "mula" – pessoa que na gíria da criminalidade transporta a droga. Através da perseguição dessa mula é que se chegou ao endereço buscado incessantemente.

A investigação também trouxe à tona diversos dados e informações valiosas, inclusive algumas gírias e códigos, como, por exemplo, "cesta", que descobriu-se ser a referência a um quilo de cocaína.

Quando o local foi identificado, uma surpresa: era na Lapa, zona oeste de São Paulo, na Rua Sinfonia Branca, próximo ao prédio da Polícia

Federal. Ali foram apreendidos mais de 20 quilos de cocaína, R$ 40 mil em dinheiro, grandes porções de maconha, fuzis e pistolas automáticas.

O mais importante dessa averiguação foi compreender como a organização estava operando sob o comando de Marcola. Revelou como a facção tinha se organizado e aperfeiçoado seu modo de atuação, com estrutura celular.

As escutas também revelaram outras informações de suma importância para entender a cabeça das pessoas cooptadas pelo PCC. Em uma das escutas, um dos membros da organização, em conversa com um contato do Comando Vermelho, afirma que se tivesse que escolher entre uma vida normal e a vida bandida, ele responde que preferiria a "vida louca".

Na análise das interceptações, percebeu-se também a capilaridade do exército de formiguinhas da facção: os executores das ações eram os traficantes das bocas dominadas pelo PCC nos muitos bairros onde foram realizados os atentados e assassinatos.

E mesmo sem muito planejamento – já que o "salve" foi dado de supetão, por Carambola –, a ação se mostrou eficiente.

Mas também ocorreram situações tragicômicas, como revelou a escuta a seguir:

Dois comparsas falavam ao telefone e se confundiam por causa da urgência atropelada da ação e da adrenalina que corria em suas veias. Um deles disse ao outro:

– Olha, é pra você atacar um político.

A resposta do outro lado da linha foi:

– O quê? Um polícia?

Eles trocavam as palavras, faziam execuções acidentais. Foi caótico. Só algumas poucas ações foram realmente organizadas – como as praticadas pela célula Oeste, depois desmantelada. Nas demais, o descontrole dominou. Não havia lógica no que eles faziam, e isso dificultava o combate.

***

A casa onde funcionava a célula Oeste era de luxo, grande e dotada de todo o conforto possível. Nenhum dos vizinhos jamais desconfiaria.

O PCC estava de cara nova e tinha se tornado uma organização mais eficiente, muito mais difícil de se combater e com uma grande capacidade de se regenerar.

Porém os atentados levaram a organização a ter um prejuízo grande. Apesar do ganho político da ação, o prejuízo material foi considerável, pois, além das apreensões feitas na célula Oeste, nos dias dos atentados (foram cerca de três dias), a facção não realizou nenhuma operação de venda de drogas – sem contar com o prejuízo do desmantelamento da principal célula de ação do grupo.

***

Depois dos atentados, houve queda na ação criminosa e o embate direto entre PCC e Estado ficou estático. Nos anos seguintes também diminuíram as rebeliões (na verdade, aconteceu só uma, que será narrada posteriormente), se pacificou o sistema prisional e não ocorreram mais atentados – exceto em casos muito pontuais e por motivação específica.

O CRP de Bernardes passou a ficar vazio e nenhuma liderança foi encaminhada para isolamento, já que não houve motivo para isso. Essa trégua durou muito tempo. Mas é bom que se entenda que o crime organizado jamais para, quando muito faz pausas, principalmente quando está levando a pior, momento no qual geralmente se recompõe, corrige os erros de estratégia e continua a crescer, infiltrando-se nos pontos fracos de seu oponente.

O silêncio não significa passividade, mas que o Estado ou não está conseguindo atingir a organização ou está satisfeito com sua ação – afinal, tudo que se pretende é a paz social. No entanto, é graças a esse estado de relaxamento, de falsa paz, que o crime organizado cresce e novamente chega a um limite em que transborda como antes e atinge novamente a sociedade. Aí a roda volta a girar, surgem as cobranças, as ações, novas dificuldades e um enfrentamento que, muitas vezes, é custoso demais.

Marcio Sergio Christino e Claudio Tognolli

CAPÍTULO 27

O BRASIL BOLIVIANO*

Depois de 2006, o PCC encerrou sua política de atos criminosos espetaculares, de grandes ações impactantes e busca pela atenção da mídia. A organização passou a agir como seu líder: com discrição e focada na profissionalização do tráfico.

A facção dominava como nunca e completamente o sistema prisional, a ponto de, em alguns casos, se tornar uma administração paralela. Por exemplo, no recolhimento dos presos às celas, não era o agente penitenciário que determinava que retornassem ou que obedecessem, era o piloto da organização que atuava ali, que mandava os presos saírem ou voltarem para as celas, que organizava as filas da visita, que dialogava com os agentes e diretores.

Pode parecer chocante, mas dentro de um Centro de Detenção Provisória (CDP) é muito mais interessante para o Estado uma situação controlada desse tipo do que o ônus e o custo de tomar para si essa responsabilidade – ainda mais considerando que o detento pode não aceitar esse controle.

---

*Baseado nos conceitos publicados em "Bolívia, a new model insurgency for the 21st century: from Mao back to Lenin. By David E. Spencer e Hugo Achá Melgar, published by Routledge, Taylor & Francis Group – 2017.

Sabe-se, claro, que dentro do emaranhado de presos, na massa carcerária, estão alguns dos líderes mais fortes que não se apresentam para não serem identificados. Daí a importância para o PCC dos "pilotos" e dos "disciplinas" – um agente da facção que ajuda o piloto no controle dos detentos. Estes, sim, são facilmente identificados e funcionam como um escudo às lideranças – de acordo, aliás, com a hierarquia da nova organização, com as sintonias que não só agilizam as ações do PCC, mas também protegem quem está nos altos escalões.

Até o jeito de se reunir ou passar sermões mudou. Antigamente, juntavam os presos em rodas de discussão no pátio. Com o tempo, aprenderam que isso expunha demais a facção e seus membros e passaram a adotar outro jeito de dar seus recados e determinações, com pequenas reuniões dentro das celas.

***

A calmaria figurou basicamente nos presídios, mas nas ruas a ação do crime organizado continuou intensa, e a resposta a ela também. Da mesma forma que o PCC se dedicava a espalhar seus tentáculos pelo território do tráfico, as ações contra essa expansão aumentavam na mesma moeda. Carregamentos de droga eram apreendidos e o traficante era preso.

Passou-se a uma guerra de atrito, de baixa intensidade, onde se tem uma sucessão de confrontos de média intensidade. Essa estratégia é contínua e não exige grandes embates, mas se apresenta eficiente.

Como algo orgânico, o PCC aprende a absorver essas perdas e a se recompor. Quando algum traficante da rua era preso, condenado e levado ao sistema prisional, ele passava a atuar de dentro dos presídios. Quer dizer, saía de uma célula externa e se acomodava numa interna, era absorvido pela organização dentro da própria estrutura. Até porque outro assumiria a boca ou a célula deixada por esse preso.

Dessa forma, mesmo com as prisões e apreensões, o PCC continua a crescer. E foi por isso que a facção chamou a atenção de um dos mais eficientes cartéis de tráfico de drogas do mundo, o Cartel Boliviano.

Ao se procurar por uma referência de um grande traficante colombiano, vai se encontrar a história de Pablo Escobar. No México, essa procura vai indicar El Chapo. Mas, na Bolívia, os líderes do cartel não têm rosto. É como se o tráfico não fosse uma grande força por lá, e isso ocorre porque eles são mais eficientes.

Para se entender melhor o motivo de serem eficientes e de o Brasil receber uma atenção especial desse cartel, é preciso saber um pouco da história do tráfico na Bolívia.

A origem do "negócio" é muito diferente da do Brasil. A Bolívia sempre sobreviveu da extração mineral, principalmente do estanho. Na década de 1970, a extração do minério teve uma baixa muito grande, pois as minas começaram a se esgotar. O que a massa de mineiros sem emprego ia fazer?

Os mineiros que se dedicavam à extração do estanho boliviano eram organizados em fortes sindicatos, que os ajudaram a se recompor, agora na região interiorana de Chapare, plantando uma coca de folha mais alcalina e indicada para a produção de cocaína, não mais aquela que se prestava ao antigo hábito da população, mascada para aliviar os sintomas da fome. E essa foi a base da expansão política dos cocaleiros na Bolívia e que gerou um grande acúmulo de dinheiro.

Com o crescimento da coca boliviana, cresceu também o comércio do produto para os Estados Unidos – terceiro maior consumidor da droga no mundo e primeiro das Américas, segundo dados de 2013 do Escritório das Nações Unidas sobre Drogas e Crime. Essa movimentação inspirou ações do governo americano na Bolívia, que resultaram na redução de cerca de 70% no comércio com os Estados Unidos.

Percebendo que o embate com o Estado e os Estados Unidos não seria eficiente, além de ser oneroso, os cocaleiros bolivianos (organizados em federações, similares às "famílias" da máfia) adotaram a estratégia de fortalecer os sindicatos e as organizações ligadas principalmente à comunidade indígena, muito desfavorecida na Bolívia. Optaram por uma ação extremamente politizada, arquitetando, inclusive, parcerias com partidos políticos que os beneficiassem.

A consequência natural disso era criarem o seu próprio partido político, o que acabou acontecendo. Inflado por grande quantidade de dinheiro e usando uma retórica antiamericana e extremamente nacionalista, acabou expandindo seu poder no país.

As federações passaram a se organizar numa confederação, que foi denominada Confederación de Cocaleros del Trópico de Cochabamba. Essa confederação é liderada pelo atual presidente da Bolívia, Evo Morales. Ele foi um dos grandes idealizadores da ação das confederações. Inicialmente tinha uma posição mais radical, e depois viu vantagens e abraçou a ideia de incentivar por meio da ação política o plantio da coca.

O que se tem na Bolívia é um Estado cujo presidente é líder de uma associação de cocaleiros que tem na produção da cocaína sua principal riqueza. Ou seja, a Bolívia é um país em que o plantio da coca faz parte de sua vida política e institucional, e as plantações oficialmente reconhecidas e a produção também. Por isso, abriu-se um perigoso canal para a ação de traficantes. Como se vê, a característica do tráfico na Bolívia é muito peculiar.

Com o crescimento, o tráfico boliviano começou a enfrentar problemas para escoar sua produção, já que a Bolívia não tem saída para o mar. Foi então que começaram a avaliar prováveis parceiros que pudessem solucionar essa questão logística, por isso o Brasil entrou no radar dos chefes do tráfico boliviano.

Ao analisarem melhor as condições de uma aproximação com o Brasil, constataram que o brasileiro é um povo que se mistura muito fácil, não é tão restritivo quanto os argentinos e os chilenos. Aliás, os bolivianos e os chilenos têm uma rivalidade muito grande porque foi justamente para o Chile que a Bolívia perdeu a saída que tinha para o mar.

A região Sudeste do Brasil tem uma rede de estradas extremamente sofisticada e de boa qualidade, e portos que são abertos para o mundo. Aliado a tudo isso também há uma situação legal favorável: a pena por tráfico é considerada por eles pequena em relação à da Bolívia (no Brasil, em geral é de um ano e oito meses de reclusão), portanto um sistema prisional que permite ao preso ter um controle do que ocorre fora dos presídios.

Marcola, sendo filho de boliviano e de uma família perto da região de Chapare, passa a ser um bom elo de ligação. A estrutura do PCC funcionaria perfeitamente para proteger a rota que levaria a cocaína aos portos. A vantagem para a organização brasileira era incrementar seu escopo de fornecedores, já que ficaria com uma parte da carga como pagamento.

Quando em contato com os bolivianos – o ano seria 2003 –, o PCC envia um de seus membros para a Bolívia, para se apresentar como um contato. Verificadas todas as referências desse intermediário, a negociação seguiu, estabelecendo a quantidade da droga que seria transportada e quanto dessa carga seria destinada ao PCC. A facção brasileira também exige participar do refino da droga, de maneira a controlar o produto que seria destinado a ela como pagamento. Os bolivianos permitem esse arranjo.

Uma figura política se faz necessária e presente nesse acordo, o ministro que cuida da produção da cocaína, Felipe Cáceres Garcia, um político que sabe detalhes da produção de cocaína na Bolívia, onde é refinada, como é entregue e distribuída.

Esse modelo serviu bem. Tanto que o modelo boliviano de tráfico se expandiu para dentro do Brasil de uma maneira muito rápida e eficiente.

Desde o início, três das semelhanças entre Bolívia e Brasil – que reforçavam inclusive os laços entre os traficantes –, percebidas pelas federações bolivianas foram o alto nível de pobreza e de marginalidade e a carência da presença do Estado na vida das pessoas. Quer dizer, nos dois países existiam (e existem) regiões sem saneamento básico, sem atendimento médico, sem perspectiva de crescimento econômico. E tanto lá como aqui, o traficante acaba suprindo essa carência do Estado, propiciando aos cidadãos dessas regiões desfavorecidas a medicação, a infraestrutura e até entretenimento, ou seja, festas e bailes nos fins de semana – os bailes funks ligados ao tráfico. Dessa forma, o traficante ganha confiança e se infiltra na sociedade, que passa a vê-los como algo bom.

Por isso, quando um traficante é preso, em algumas regiões de São Paulo, por exemplo, há algumas reações agressivas por parte da comunidade que depende do traficante e, então, queimam ônibus, fazem protestos. Essa visão também é partilhada pelas federações dos cartéis bolivianos. Foi esse tipo de estratégia, inclusive, que legitimou a ação política dos cocaleiros na Bolívia.

Assim como o PCC virou uma empresa, essas federações também atuam por divisão, por células, por departamentos. Eles organizaram cotas de transportes para distribuir a cocaína, chamadas de líneas, e que são concedidas para outras organizações às quais é dado o direito de explorar como uma concessão.

E tudo é sustentado por um sistema, digamos, político, no qual as lideranças são eleitas. Não tem conflitos dentro das federações porque a punição é a morte imediata. Não há dissidência, mas disputas de caráter eleitoral.

Essas federações buscam legitimidade em eleições sempre que há uma pendência entre um e outro traficante que se destaca. Quando isso acontece, é feito um pleito e quem vence assume uma liderança na "Federação". Quem perde é obrigado a voltar às bases do tráfico e não pode se candidatar novamente. É um sistema muito interessante que não apresentou racha até hoje.

O controle – principalmente em Chapare – por uma base social militar é muito forte. Inclusive, é nessa região que o Exército boliviano mantém grande parte da sua estrutura para proteger a região cocaleira. Santa Cruz de la Sierra é uma das grandes sedes das federações, talvez a maior, já que é onde as negociações acontecem. Geralmente, as lideranças foragidas do PCC vão para Santa Cruz de la Sierra.

Foi nesse momento que a parceria com o Brasil evoluiu para a concessão de uma línea que ia da Bolívia até o Paraguai e depois ao Brasil. Dentro dessa composição da línea também está o Exército Popular Paraguaio – EPP, uma força paraguaia que teria papel dentro desse tráfico e desse transporte de cocaína.

***

Para entender melhor essa situação, convém ver uma entrevista de Marcio Christino com Hugo Achá Melgar, advogado e analista político boliviano, exilado desde 2009 e ativista de Direitos Humanos e pesquisador na área de CTOC – Crime Transnacional Organizado – e terrorismo[9].

---

9 Autor do estudo mencionado. Os comentários são de responsabilidade do entrevistado.

MC = Marcio Christino; HC = Hugo Achá

MC – As associações, elas são ligas de mineiros? Como é a nomenclatura que você usa exatamente pra isso?

HC – A organização do Evo é uma organização muito complexa. É provavelmente hoje a maior organização narcotraficante do mundo. O nível de sofisticação deles é altíssimo. A origem deles são os trabalhadores mineradores do Stalin, foi de onde eles tiraram o modelo de organização baseado no sindicato marxista, só que, quando eles se envolveram com o tráfico, eles deixaram pra trás qualquer tipo de condicionamento ideológico. O Evo e a organização deles se aproximaram do Chávez porque viram nele uma grande oportunidade de fazer negócios, e pra eles uma cobertura política conveniente. Mas se você acha que eles são esquerdistas, que eles são comunistas, eles não são não, eles não têm um elo ideológico, eles são extremamente oportunistas, muito pragmáticos. E aqui, uma coisa que eu vou falar pra você, que eu sempre acho muito difícil de aceitar, para os meus amigos brasileiros, mesmo dentro da Polícia Federal, da Abin, do Congresso: o número de vítimas que o tráfico faz diretamente. Os brasileiros não aceitariam que um avião decolasse todo dia da Bolívia, bombardeasse uma cidade brasileira e matasse 396 brasileiros todo dia. Mas se você colocar o número de vítimas que a atividade ilícita do meu país ocasiona no Brasil, esse é o número. O que acontece é que a sociedade brasileira tem se dessensibilizado com o nível de violência que o tráfico ocasiona no cotidiano da sociedade. Então, por isso eu acho que para os meus amigos brasileiros é bem difícil entender o que eu vou falar. Essa organização, que inclusive tem uma compreensão cultural, por exemplo, quando eles interagem com brasileiro, eles exploram esse conceito que o brasileiro tem de si mesmo. Sabe, brasileiro, no geral, é uma pessoa muito segura de si, quando ele está fora, na interação global, muito agradável, é uma pessoa com que você consegue ter um relacionamento muito simples. Não é, por exemplo, como o argentino, que é mais arrogante, que coloca uma distância entre você e ele. Brasileiro é muito assim, aquele jeitinho brasileiro faz o brasileiro ser, como os americanos dizem, likeable...

MC – Agradável.

HC – Exatamente. Então essa organização conta com isso, faz esse tipo de análise sofisticada, porque, se você pensar, isso é o que se chama de inteligência cultural. A organização percebeu muitas coisas, percebeu que o PCC tinha potencial para virar um grande parceiro, e começou a promover isso por algumas razões. Uma delas, tenho certeza que você sabe, é que a origem do Marcola é boliviana.

MC – Sim.

HC – Ele tem família lá. E a família dele está muito perto do Evo, politicamente falando. Então, para a organização do Evo, o PCC tem virado um parceiro incrivelmente conveniente. Inclusive eu posso te falar hoje que provavelmente uns 60% a 70% da logística que a organização do Evo utiliza pra levar a cocaína até os mercados europeus é fornecida pelo PCC. O PCC seria, numa equivalência, simplesmente por ser um exemplo pedagógico, uma UPS ou o Sedex da organização do Evo. Só que a organização do Evo é uma organização corporativa, e trata organizações como o PCC como se fossem iguais, é representante credenciada pela organização do Evo, em que o embaixador da República Federativa do Brasil tem no nível formal. Você chega lá em La Paz, e o sistema é concessional. Você chega lá, você faz parte do PCC, você apresenta suas credenciais. Fala "Olha, eu tô aqui porque o Marcola que me enviou", eles conferem se tudo bate, então eles falam "Olha, então tá certo, o que você quer?". Você fala quanto quer, você fala onde que você quer, você fala se você quer participar do processamento, se você quer participar do refino... é como se você estivesse dentro de uma multinacional. Para você ter alguns nomes, o Evo Morales é o rosto, é a face política do movimento. Mas, junto com o Evo, tem um cara, o sobrenome dele é Cáceres. Ele sempre esteve formalmente como vice-ministro do regime da coca, é o único membro do gabinete do Evo que nunca foi mexido. Ele sempre está ali. Se você olhar no organograma do governo, parece um vice-ministério. Esse cara controla a produção de coca de pasta-base, o refino de cocaína, inclusive a produção de crack que é feita na Bolívia. Ele sabe quantos quilos *de coca se movimentam desde o Chapare para um laboratório, vamos falar em Puerto Suárez, ou em Quirrajo, ou lá em San Matías, que fica bem perto de Cuiabá. Os outros locais que eu falei pra você ficam bem perto do outro lado de Puerto Quirrajo, Corumbá...*

MC – *Mato Grosso.*

HC – *... Mato Grosso, isso aí. Então, mas o mesmo tipo de relacionamento é feito com organizações, como, por exemplo, 'Ndrangheta, como, por exemplo, organizações terroristas, como Hezbollah, organizações muito radicais, como Boko Haram, como o próprio ISIS, em algum momento, se você quiser pode conferir, barcos com bandeira boliviana foram pegos pela Marinha grega e depois pela guarda costeira turca, que tinha levado primeiro cocaína, depois levaram haxixe, então, o problema disso tudo é como você leu no Research Paper, é que essa aqui é uma organização criminosa que conseguiu o que o Pablo Escobar só sonhou, se tornar o governo formal, o governo legal, juridicamente falando de um estado. É a primeira vez na história do Ocidente, aliás, eu acho que é a primeira vez na história da humanidade que uma organização criminosa consegue esse tipo de sucesso. O PCC experimentou o mesmo tipo de, vamos dizer, de processo, quando começou a interagir com a organização do Evo. Aconteceu a mesma coisa com as Farc. Inicialmente, as Farc foram trazidas para a Bolívia pela organização do Evo para treinamento, para um potencial uso como guerrilha. Depois, como você leu, a organização do Evo discutiu o assunto e decidiu usar força militar só pra proteger as fontes do poder econômico, do poder financeiro. Então, o que acontece hoje com as Farc, uma coisa que é um pouco irônica, se o Tirofijo, o Marulanda, o Reyes estivessem vivos hoje, provavelmente as Farc teriam sido um pouco reticentes a se adaptar. Só que, como esses caras foram mortos pela política do presidente Uribe, os novos comandantes, como o Timochenko, o Trinidad, eles são mais jovens, eles entenderam que o modelo boliviano é um modelo bem-sucedido porque não pretende uma vitória do tipo militar. Pretende através do uso do lucro da atividade criminosa empoderar, fazer a atividade política muito mais fácil.*

Eu acho que o PCC já virou cartel, eu acho que está se tornando uma coisa mais do que cartel, está chegando perto da transição que a organização do Evo sofreu nos anos 80, quase anos 90. Está começando a ter um tipo de controle social, está começando a ter impacto político. Eu falei isso com amigos meus da Polícia Federal e da Abin no ano 2003, e o pessoal da Abin falou "Não, isso não acontece", e eu falei "Meu caro, é o seguinte, a organização criminosa no meu país começou primeiro a tentar comprar político, depois entendeu que político não é confiável, depois começou a criar seus próprios quadros políticos, e finalmente criou seu próprio partido". Aí os meus amigos da Abin falaram: "Não, isso não pode acontecer, isso não vai acontecer". Aí eu recebi de uma fonte confiável do Brasil uma informação sobre um vereador lá em Mato Grosso que estava recebendo dinheiro direto do PCC, e de novo escutei: "Não, isso não existe, isso tá errado, sua informação não é verdade". Um ano depois eu encontrei com um desses caras aqui em Washington, e o cara falou comigo: "Olha, eu não podia falar pra você, quando você colocou essa informação a gente não podia aceitar isso, mas agora que eu estou em outro local posso falar que isso está acontecendo mesmo". Então, eu acho que grande parte da origem da crise de corrupção que vocês estão vivendo agora é um esquema de lavagem gigantesco. Eu já falei também com amigos meus do Itamaraty que me disseram: "Mas a Bolívia é um país merreca, o Brasil é uma potência"; porém aqui não estamos falando do relacionamento da Bolívia Estado com o Brasil Estado. A gente está falando de uma organização criminosa com capacidade de geração financeira, que é incrível. Eu vou te dar um último exemplo. O que você acha que tem em comum entre o cara que atacou o trem lá em Bruxelas, que foi pego por três americanos, senão ele teria cometido um massacre, os ataques no Bataclan em Paris, no Stade de France, o ataque em Nice, o terrorista da Alemanha que foi pego na Itália, morto na Itália, e o cara que fez o atentado lá em Manchester? Todos eles foram sustentados por tráfico de cocaína para financiar suas células. Eu tenho informação direta de agências de inteligência e policiais de cada um desses países, alguns deles estão muito zangados porque os políticos, principalmente na França, não querem admitir isso, inclusive eles pediram para fazer um relatório, uma análise, e quando o relatório estava pronto, o nível político pediu pra eles editarem o relatório, porque cocaína é uma forma muito eficiente, muito conveniente...

MC – ... de fazer dinheiro. Sem controle.

HC – Isso. E você pode sustentar dez, quinze, vinte pessoas de uma vez só. Eu vou te dar só um exemplo para fechar aqui. As autoridades na Inglaterra falaram que o cara pegava dinheiro de bolsa-escola, mas escuta aqui, ele pegava mil e cem libras, tá certo? Dois deles vivendo em zona nobre em Londres. Você acha que com dinheiro de bolsa-escola dá pra um moleque pagar o aluguel de três imóveis, dois deles sendo em zona nobre?

MC – Não, além do que aquela região do Oriente é uma região de produção também, eles têm uma produção ali, então é conveniente. Eles têm uma maneira de se autofinanciar, uma maneira de conseguir recursos.

HC – Então, por exemplo, na Espanha, inicialmente os caras falaram: "Não, esses caras traficam haxixe"; depois, quando eles foram fazer operações lá em Madri, um dos chefes da guarda civil ligou pra mim e falou: "Hugo, você tem que vir pra cá, porque o que você falou pra nós é exatamente o que tá acontecendo". A cocaína boliviana sai principalmente de Santa Cruz, chega ao Brasil, e a partir dali o PCC vira o elo logístico essencial, uma parte da cocaína fica no Brasil, é vendida no Brasil, ali o crack é produzido, tem um monte de situação que você conhece perfeitamente, mas a partir dali, dos portos, aeroportos brasileiros, chega à Europa, inclusive, também em países como Angola, Moçambique, no Marrocos tem operativo do PCC que faz o elo logístico. Eu até vi relatórios de inteligência dos Estados Unidos onde os caras que entregavam a cocaína pro Mokhtar Belmokhtar, que era o manda-chuva da AQIM – Al-Qaeda no Islamic Magreb, que tem se tornado Isis no norte da África, e o cara era um brasileiro do PCC.

MC – É, eles estiveram nos Estados Unidos, tem um deles rastreado em Portugal, eu vou te dar uma informação interessante. Eu preciso fazer uma visão só do Brasil, e em relação à Bolívia nós temos uma diferença, que o Brasil, você sabe, você já morou aqui, ele tem um descompasso muito grande entre as regiões. Então você tem uma região do Sul, São Paulo, urbanizada, moderna, industrial, essencialmente industrial e com um braço agrícola também. Você tem a região Norte, lá, o Amazonas, Manaus, selva praticamente, esparsa, nenhuma condição urbana, por exemplo, então nós temos disparidades muito grandes...

HC – Tem o Cerrado. Norte, Nordeste, muita pobreza...

MC – *Nós não temos aqui um movimento parecido com o dos mineiros da Bolívia, mas o PCC tá conseguindo fazer isso agindo como um patronato social...*

HC – Exatamente.

MC – *... assumindo condições. Eu vou dar um exemplo do que acontece aqui. Camarada chega à farmácia, numa região pobre da cidade, a pessoa precisa de um remédio, o traficante chega lá e fala pro farmacêutico: "Pode pagar, pode dar o remédio que ele quiser que eu banco". E, nesses últimos tempos, o que se notou é o seguinte, isso é uma análise que eu apresentei, eles estão sob uma ótica diferente. Antigamente, eles tomavam conta apenas da boca, agora não é mais da boca, agora a boca que seria o ponto de venda, não é o ponto de venda, eles querem o entorno também. Então eles querem o comércio que está do lado, o outro, ele quer o X, quer o Y, e assim ele acaba dominando a situação. Está acontecendo isso aqui.*

HC – *Isso é exatamente o que eu chamo de modelo boliviano, inclusive. Eu fui convidado pelo comandante do Exército colombiano, porque eles estão muito preocupados, porque o aprendizado desse tipo de situação, você está certo, cada situação tem particularidades culturais, o problema é que os fatores comuns são exatamente iguais, pobreza, marginalidade, carência de Estado – tem locais aonde o Estado não chega, não preenche as necessidades da população...*

MC – É o vácuo.

HC – O traficante se torna o único fornecedor de solução, e assim, como hoje pode não ter sido intencional, pode ter sido produto da dinâmica que você está descrevendo... Inicialmente, para você entender por que eu fico preocupado quando pessoas como você me falam disso, o controle político da organização do Evo se limitava à região que produzia a cocaína, Chapare, que é um distrito eleitoral, que na Bolívia se chama circunscrição, certo?

MC – Sim.

HC – Depois, na interação, eles perceberam duas coisas. A primeira coisa, que político é corrupto, e que eles tendo o fluxo de dinheiro, político é a coisa mais simples de ser comprada. Segunda coisa, eles perceberam que a instituição era muito fraca, e que instituição também poderia ser comprada. Então tornaram a corrupção um método. A organização do Evo percebeu isso e partiu pra cima, e depois pensou: "A gente pode colocar não só deputados, a gente pode colocar vereadores, a gente pode colocar governador, a gente pode colocar prefeito, a gente pode colocar senador", e acabaram colocando presidente. Eu estou exilado porque pesquisava exatamente isso. Isso que a gente está falando foi o motivo para Evo Morales ter tentado meu assassinato três vezes. Isso que a gente está falando é o motivo pelo qual eu estou no exílio há quase dez anos, inclusive a montagem que foi feita pra destruir a minha reputação foi baseada nisso. Porque do outro lado você tem, por exemplo, serviços de inteligência cubanos, que, aliás, estão interagindo com o PCC, porque hoje Cuba procura fontes financeiras em tudo que é canto, e tráfico é uma das fontes mais convenientes, de maior lucro.

MC – Essa organização do Evo, ela é uma organização formada de pequenos grupos ou ela é um grupo só? É porque na origem eu vi que ela era da liga dos mineiros. É a liga dos mineiros que fala?

HC – Não, essa é a origem do modelo de organização. Para fazer simplesmente um resumo. Quando o preço do minério na Bolívia caiu pra menos de zero, literalmente menos que zero, ficava melhor deixar o mineiro lá dentro da mina. Então eles foram para Chapare já sabendo que iam para a atividade ilícita.

MC – Sim.

HC – Não tem essa história, não tem essa história da coca sagrada, não. A coca que é produzida no Chapare não pode ser consumida pra uso humano; o nível de alcaloide é muito alto, e a guia da folha é muito grossa. Se você tentar mastigar, você vai se ferir. Se você tentar mastigar, a mucosa da sua boca vai queimar. A folha da coca que é produzida no Chapare só serve para fazer cocaína, não é como a coca tradicional que existia nas plataformas desde o tempo dos incas lá perto de La Paz, só pra você perceber. Então, o que acontece é que eles chegaram e organizaram tomando o modelo dos sindicatos mineiros. A partir dali, a organização é única, vertical...

MC – Única?

HC – Única, mas do ponto de vista da obediência. A obediência é vertical, tipo militar, é o mesmo conceito que tinha o Trotsky, que organizou o Exército Vermelho, você não pode ter dissenso. Cada senda, que é uma trilha, o nome que eles fizeram pra célula deles, cada célula apresenta um representante para o sindicato, cada sindicato apresenta um representante para a federação, e cada federação apresenta um representante para a confederação. O presidente da confederação é o Evo. Inclusive, na constituição que ele mesmo fez, é ilegal ele ser presidente da confederação e presidente do Estado. Mas, se por qualquer motivo, no dia de amanhã, o Evo for forçado a escolher entre ser presidente da Bolívia e ser presidente da organização, tenha certeza de que ele prefere ficar como presidente da organização, tem mais dinheiro...

MC – Como é que se chama essa confederação?

HC – Confederación de Cocaleros del Trópico de Cochabamba. São seis federações. São 65 mil famílias.

MC – Essas seis federações estão dentro desse grupo que você mencionou...

HC – Dentro.

MC – Tem atrito entre eles?

HC – Não tem não. Atrito é punido com a vida. A obediência é absoluta. A única dinâmica que eles têm. Por exemplo, você e eu, nós somos, nós fazemos parte do mesmo sindicato, tá certo, Marcio e Hugo são do mesmo sindicato. O sindicato vai ter em média uns 1.200 associados. Então, digamos que eu queira virar o secretário executivo, esse é o nome do presidente do sindicato, e você também. Você e eu não podemos brigar, porque se a gente briga vai dar atrito dentro da organização, então o que a gente faz? Você procura convencer o maior número de membros, e eu procuro convencer o maior número de membros, e a gente vai para uma eleição. Se você vencer, eu me torno de novo um membro da base...

MC – Rebaixado.

HC – Eu não posso continuar. Você perdeu, você volta pra baixo. O Marcio é representante e, por um ano, tudo que ele fizer a gente apoia.

MC – Entendi. Então, na verdade, o forte deles fica no Chapare, é isso, Chapare, que é o forte deles.

HC – O Chapare é o que em termos estratégicos poderia chamar de retaguarda estratégica. É onde eles têm força militar, onde eles têm a base social, onde eles têm o controle absoluto. Você não pode entrar hoje no Chapare se antes não tiver autorização deles. A mesma coisa quando você quer entrar na favela. Tem que falar com o chefe do morro...

MC – Então, provavelmente, os líderes do PCC que estão na Bolívia, fugidos, foragidos, estão nessa região.

HC – Não. Eles estão em Santa Cruz. Sabe por quê? Porque eles estão simplesmente à toa, você não pode estar à toa. Olha, a Bolívia, o Estado formal boliviano tem se tornado um instrumento da organização criminosa.

MC – Ou seja, sem chance de contar com o apoio do governo boliviano, da polícia, sem chance.

HC – Zero. Porque o nível de corrupção está muito alto hoje. O meu país tinha três fontes de ingresso de dinheiro. O primeiro, minério. O segundo, gás. O terceiro, soja.

MC – Sim.

HC – Tinha, não tem mais. Os três produtos foram pra baixo. Como se explica, hoje, que o preço do metro quadrado de imóvel em Santa Cruz é mais caro do que em Miami? É 40% mais caro do que em São Paulo. Como se explica isso? Sabe por quê? Porque tem um fluxo financeiro paralelo que hoje sustenta a economia do Estado. Então, o Exército, o Judiciário, o Estado estão a serviço da organização criminosa. Eu vou te dar um exemplo real. Eu só vou dar o nome para você...Teve um cara colombiano, das Farc, aliás, ele morreu no Brasil. O nome dele era Iván Márquez. Ele era um dos responsáveis... As concessões na Bolívia são chamadas de líneas. O PCC, por exemplo, opera cinco líneas. Cada línea é como uma concessão de uma empresa. O Iván Márquez pegou uma das duas líneas que foram concedidas às Farc pela organização do Evo. A frente 14 e a frente 16, que operam na Bolívia. Só que, depois, ele começou a falar com outros brasileiros envolvidos no tráfico, e como a gente já conversou, brasileiro, mesmo bandido, é agradável, parece gente boa, aí esses bandidos brasileiros convenceram o colombiano:"Por que você não dá uma força pra nós? Desvia um pouquinho ali do produto, e a gente vai levar isso, vai vender por nossa conta, e você ganha uma graninha". Infelizmente pra ele, ele foi descoberto. Então, o governo da Bolívia falou aos demais membros das Farc: "Olha, é o seguinte, isso não pode acontecer, porque a línea está concedida ao PCC. O seu representante fez merda, e você precisa tomar cuidado, tomar conta dele, porque senão a gente toma conta". Os colombianos mataram o tal colombiano, e os dezesseis membros da célula dele. Se eles não tivessem feito isso, a polícia boliviana os teria matado do mesmo jeito, entendeu?

MC – Entendi.

HC – O Estado está a serviço da atividade criminosa.

MC – O escoamento da cocaína deles se dá mais através do Paraguai?

HC – Não. Se eu tiver que fazer uma divisão em percentagem, eu acho que uns 60% da cocaína vai direto pro Brasil. Não é pra ficar no Brasil. A maior parte dessa cocaína tem que chegar à Europa, tem cocaína chegando ao Oriente Próximo, algumas líneas têm chegado até a Coreia do Sul e Hong Kong. Pelo Paraguai eu acho que tá indo provavelmente 15%, 20%. Os 20% restantes estão indo para os Estados Unidos via Venezuela.

MC – A cocaína que vem pro Brasil, que trafega pelo Brasil, vem por qual fronteira? O acesso da Bolívia pro Brasil é muito difícil...

HC – Tem quatro pontos de passagem. O mais importante é Puerto Quirrajo-Puerto Suárez-Corumbá. Esse é o maior. O segundo é San Matías, que chega lá em Cuiabá. O terceiro fica em Guayaramerín, na Bolívia, Guarajá-Mirim, no Brasil. E o quarto, finalmente, que tem se tornado muito importante hoje é em Cobija, naquela ponte entre Cobija e Brasileia, esses são os pontos. Mas o principal é aquele ponto em Corumbá. O volume de cocaína que passa todo dia lá é de arrepiar.

MC – As indicações que nós temos, eles tão dizendo, não sei se você tomou ciência, da morte do Rafaat...

HC – Sim, sim, sim. Com a .50[10].

---

10 N. do E.: metralhadora calibre .50, armamento de uso militar, antiáreo, usado para obstruir o avanço de tropas na hipótese de guerras.

MC – Isso, que o Jarvis Pavão, que é um grande traficante, é o maior traficante do Paraguai, tenha se comprometido a só revender a cocaína que chega ao Paraguai, única e exclusivamente para o PCC, e o Rafaat, ele não teria, ele falou: "Não, eu vou vender pra quem eu quiser", e ele acabou sendo morto por causa disso. Porque o PCC queria dominar a fronteira do Paraguai para trazer a cocaína de lá. E a cocaína do Paraguai, ela vem da Bolívia. Então, essa rota Bolívia-Paraguai-Brasil tá me parecendo hoje a mais extensa, a mais forte de todas, por isso que o Rafaat morreu, concorda com isso?

HC – Eu concordo, mas vou te explicar os detalhes. A línea indo pro Paraguai é uma concessão pro PCC, tá certo? Só que os colombianos falaram o seguinte: "Olha, tem que dar uma força para o pessoal do EPP" – Exército do Povo Paraguaio, que funciona principalmente no departamento de Concepción. Então, o que acontece? Aí, os colombianos falaram o seguinte: "Os brasileiros vão continuar sendo os gerentes da concessão". Só que a proteção vai ser fornecida pelo pessoal do EPP, em troca dessa proteção eles vão receber uma percentagem. Então, o que acontece? O Rafaat estava ficando no caminho de duas organizações poderosas demais, a primeira delas o PCC, a segunda o Hezbollah. Porque pro Hezbollah é crítico o controle dessa área toda, você sabe muito bem que Pedro Juan Caballero, o aeroporto Mariscal Estigarribia lá em Punta del Este são locais onde o Hezbollah faz uma grana preta. Inclusive naqueles shoppings que você conhece, shopping "China", aqueles shoppings que tem lá em São Paulo, a presença do Hezbollah é forte. E o Hezbollah, assim como o PCC, tem se tornado, vamos falar de novo, a UPS, a Fedex da organização do Evo, o Hezbollah tem se tornado os banqueiros, em contato com bancos na Jordânia, Macau, Hong Kong, inclusive na Suíça e nos Estados Unidos. Lembre-se, o sucesso da organização do Evo é que eles têm se mantido abertos ao aprendizado. Às vezes, há pessoas que falam comigo: "Você fala deles como se eles fossem grandes coisas, mas eles são um monte de indiozinhos insignificantes". Até isso eles utilizam em vantagem própria. Quando eles chegam perto de você numa posição, por exemplo, como policial ou como procurador, eles vão falar com você com a maior humildade, com a maior educação. O pessoal dessa organização não fala: "Eu vou te matar". Eles vão falar: "Olha, Marcio, eu queria tanto te ajudar..."

MC – É, mas isso daí aqui já é assim, já se faz isso.

HC – Então, o Rafaat não entendeu. O Rafaat pensou: "Pô, eu sou o manda-chuva, não preciso ouvir conselho de ninguém". Então o Hezbollah deu o veredito colocando o polegar para baixo, e o PCC foi lá e o executou. Agora, o controle operativo do tráfico é do PCC, entendeu? Que é ajudado pelo EPP, por parte da segurança do transporte, e a questão financeira fica por conta dos doleiros e dos comerciantes controlados pelo Hezbollah.

MC – Entendi.

HC – Caro, quando você faz análise de todas essas dinâmicas, se você tirar a palavra tráfico e cocaína, parece o que em entidades financeiras se chama *hostile takeover*, parece questão de empresa, e, de novo, esse é um feito que a organização do Evo tem tido no tráfico, que é a sofisticação da atividade.

MC – O que se está vendo muito aqui é o patrocínio de organizações com o objetivo de liberar o consumo, o tráfico, a produção aqui permitindo que esse trânsito se faça legalmente, nós vamos virar o grande porto, um litoral enorme, fronteira com tudo quanto é país, lá do oceano, vai ser uma maravilha isso aqui.

HC – Pra você saber, a Wola, que é a organização de lobby mais poderosa em Washington, recebe por ano pelo menos 3 milhões de dólares diretamente do governo da Bolívia através da mulher do Juan Ramón Quintana. Ele é aquele cara que foi pego com o Maximiliano Dorado, naquela reportagem da *Veja*, recebendo dinheiro vivo dos Amigos dos Amigos, e depois ele coordenou junto com o PCC o tráfico. Hoje ele está em Cuba, foi nomeado embaixador em Havana.

Deixe eu acrescentar um negócio. O pessoal da DEA não acreditava quando eu falava: "A cocaína boliviana tá chegando aqui"; eles comentavam "Não pode ser, pela análise química, espectrográfica", e eu falei: "Deixe eu explicar um negócio. Na Bolívia, hoje, tá precisando de mais coca. Tanta cocaína tá sendo produzida que tem escassez de coca". Então, o que acontece, *os peruanos, principalmente o pessoal do Sendero, pessoal do novo EPN, que é o novo movimento que tem, substituindo o MRTA, no Aliaga, no VRAE, está ficando extremamente perigoso pra eles trazer ou pasta ou cocaína já refinada, porque a ação do Estado peruano é mais eficiente, tá certo? Então, o que eles fazem, eles trazem a coca já picada pra um ponto que hoje se chama de Puerto Evo. Fica num ponto geográfico que se chama Bolpedra, na fronteira que une Bolívia, Peru e Brasil. Essa coca picada é trazida em chalanas até a Bolívia, e para o livre refino totalmente pra matriz colombiana. Então, quando você faz uma análise química, já tem muito pouco de ácido sulfúrico, muito pouco de éter, e muito das famosas cozinhas colombianas. Então, o que acontece, muito da cocaína que está sendo produzida no norte da Bolívia é percebida como cocaína peruana, porque a origem dela é coca peruana. Então, quando, por exemplo, esse tipo de cocaína que é comprada principalmente no norte da Bolívia, e é levada em aviões da Força Aérea da Bolívia até a Venezuela e dali transportada até os Estados Unidos, capturada pelos organismos policiais ou a própria DEA, e é submetida a uma análise química, a máquina fica doidinha, porque imagina, a coca tem as características genéticas, fitotécnicas da coca peruana. Você tem os químicos que são próprios da coca colombiana, então você não tem a mínima noção de que a coca que você tá pegando é cocaína na realidade processada na Bolívia.*

MC – *Agora, uma curiosidade: o termo padaria é usado na Bolívia?*

HC – *Não, padaria é um termo usado pelos brasileiros, e hoje está ficando muito em voga, principalmente na fronteira.*

MC – *Padaria, aquele lugar em que eles fazem a mistura da droga, essa gíria deles, ela é usada lá também?*

HC – *Principalmente o que é chamado de refino final, que, veja bem, tem três fases. A primeira é o pisado, que é feito em fossa, pra fazer a pasta que geralmente eles chamam de fábrica, factoria, tem um monte de palavras. Depois tem as cozinhas, onde você faz a cocaína, mas depois as padarias se tornaram populares, porque, uma vez que você tem a cocaína, você faz o rebaixamento da cocaína, você mistura a cocaína com diferentes coisas, ou produz crack, ou faz outras coisas, mas já é com a cocaína refinada.*

MC – Entendi. Ah, então esse termo padaria é usado, a origem é brasileira mesmo?

HC – É brasileira mesmo. E é porque, você sabe, a farinha tem o mesmo aspecto.

MC – Ah, obrigado. O material que eu tenho confirma o que você tá falando, o uso de um movimento social para isso, o dinheiro, as armas que eles estão usando vêm do Exército da Bolívia. São armas antigas, mas .50 é antiga, mas atira e explode o que tiver na frente.

HC – A .50 é uma. A ZB 30. E eu sei que vocês têm capturado isso lá em São Paulo.

MC – É tudo boliviana. Essas armas têm origem boliviana. Eles estão trazendo, eu calculo que eles trazem do Exército de lá, eles compram do Exército boliviano, essa é a ideia que a gente tem.

HC – Com certeza.

MC – A ideia de trazer pessoas, militares, agora, nós temos a identificação de que eles estão aliciando militares pra compor as forças. Na Cracolândia havia um soldado do Exército, pelo menos um confirmado, um soldado do Exército com metralhadora, com sniper, então a gente tem essa informação, e tudo isso perfeitamente de acordo com aquilo que você está me narrando.

***

O tráfico boliviano trabalha com cinco princípios. O primeiro desses princípios é que o emprego da violência é limitado, mas é importante, pois é usado na Bolívia para proteger os cocaleiros ou então para resolver algum tipo de oposição. Seu uso é sempre episódico e localizado, sobretudo corresponde ao interesse político da organização. Questões pessoais são minimizadas, conflitos são sempre arbitrados pela própria organização (aqui tal como vemos nos chamados Tribunais do Crime). Não lutam apenas por dinheiro, e o motivo está no segundo princípio: usar parte do lucro para financiar ações sociais e as atividades político-partidárias, como as manifestações que buscam a legitimidade da "Confederação". Algo similar acontece no Brasil com grupos que visam legalizar a droga. O terceiro princípio é o patrocínio, cooptação e uso de movimentos sociais para instigar ou proteger os interesses do tráfico em médio e longo prazo; o quarto é a formação de uma base política que possibilite a participação legal no processo político e legislativo. O quinto princípio é o patrocínio direto ou indireto de campanhas informativas em defesa dos interesses relacionados ao tráfico, especialmente a defesa da figura do usuário como gestor de seus próprios interesses.

Toda essa filosofia vai acabar influenciando o PCC. Quando os traficantes bolivianos olham para o Brasil e encontram o PCC, que já era o maior distribuidor de droga do país, com um perfil semelhante ao sistema deles, eles criam uma das maiores organizações criminosas da América do Sul.

Eles só se esqueceram de que no vértice do Paraguai havia um grande obstáculo, Jorge Rafaat, o dono da fronteira entre o Brasil e o seu país.

Fato é que tempos depois, em 7 de julho de 2017, no bairro de Pauliceia, em São Bernardo do Campo, Grande São Paulo, policiais civis da Delegacia de Investigações sobre Entorpecentes (Dise) daquela região surpreenderam Romer Gutierrez Quezada e outros indivíduos com quase cem quilos de cocaína divididos em tijolos. Seria uma grande prisão, como outras tantas, se Romer Quezada não fosse intimamente ligado ao MAS – Movimiento Al Socialismo (em português, Movimento para o Socialismo), partido político boliviano que se encontra no poder atualmente e tem como líder máximo o atual presidente da Bolívia, Evo Morales. Mais do que isso, era presidente da Organização Boliviana Che Guevara, que atua em prol do MAS. Após ser preso, o próprio presidente Evo Morales inicialmente negou conhecê-lo, mas após a publicação de inúmeras fotografias onde ambos aparecem em cenas que denotam proximidade, acabou por admitir que o conhecia, porém negou ter ciência de suas atividades como traficante. Romer Quezada foi o primeiro boliviano preso que tem ligações políticas com o primeiro escalão do governo daquele país. Não se pode negar que a traficância na rota Bolívia-Brasil está em franca expansão.

CAPÍTULO 28

O DESAFIO DE ETHOS

A Operação Ethos do Ministério Público de São Paulo revelou a fundo a chamada "Sintonia dos Gravatas", que funciona até hoje, só que, agora, não são mais indivíduos prestando serviço, mas uma corporação equivalente a um dos maiores escritórios do Brasil.

Segundo se apurou, Valdeci Francisco da Costa, com inúmeros apelidos, obedecendo ao mando das lideranças do PCC, criou um novo sistema para permitir a comunicação entre os detentos. Porém o uso de tecnologia no bloqueio de celulares estaria inviabilizando a coordenação das atividades criminosas, já que a comunicação entre os membros da facção se dava quase que exclusivamente por meio desses aparelhos. Egresso da própria Penitenciária II de Presidente Venceslau, ele gozava de confiança e, no entender das lideranças, possuía capacidade para elaborar um plano que os atendesse. Foi assim que Valdeci criou o "Projeto Estrutural 2016", um organograma que descrevia um complexo sistema de atendimento entre todos os detentos considerados relevantes pela organização criminosa. O organograma teria o seguinte perfil:

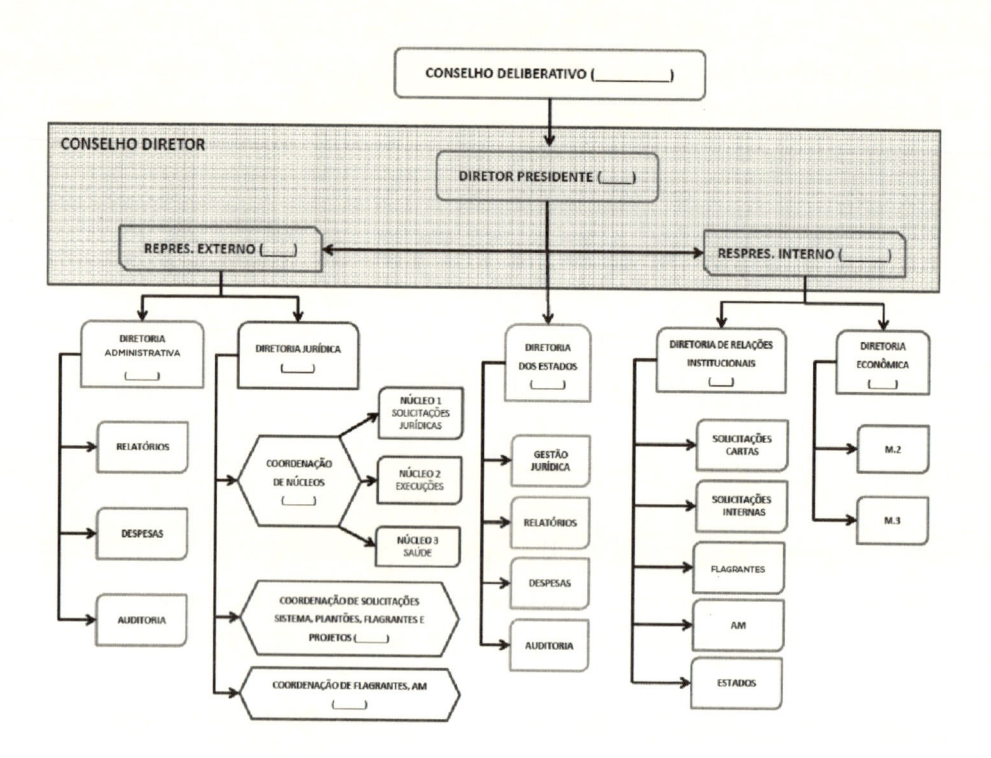

```
                          CONSELHO DELIBERATIVO (_____)
                                    │
                                    ▼
CONSELHO DIRETOR
                            DIRETOR PRESIDENTE (___)
        ┌───────────────────────────┼───────────────────────────┐
   REPRES. EXTERNO (___)                                   RESPRES. INTERNO (___)
        │                            │                            │
   ┌────┴────┐                       │                    ┌───────┴────────┐
DIRETORIA    DIRETORIA JURÍDICA  DIRETORIA          DIRETORIA DE RELAÇÕES   DIRETORIA
ADMINISTRATIVA   (___)           DOS ESTADOS        INSTITUCIONAIS           ECONÔMICA
   (___)                            (___)                (___)                 (___)

              COORDENAÇÃO      NÚCLEO 1
              DE NÚCLEOS       SOLICITAÇÕES
                               JURÍDICAS
   RELATÓRIOS                                       SOLICITAÇÕES            M.2
                               NÚCLEO 2             CARTAS
                               EXECUÇÕES
                                                    SOLICITAÇÕES
   DESPESAS                    NÚCLEO 3             INTERNAS                M.3
                               SAÚDE
                                                    FLAGRANTES
              COORDENAÇÃO DE SOLICITAÇÕES
              SISTEMA, PLANTÕES, FLAGRANTES E
   AUDITORIA  PROJETOS (___)                        AM

                                GESTÃO
                                JURÍDICA            ESTADOS

              COORDENAÇÃO DE FLAGRANTES, AM
              (___)            RELATÓRIOS

                                DESPESAS

                                AUDITORIA
```

ESTRUTURA ORGANIZACIONAL E HIERARQUICA

1 – **CONSELHO DELIBERATIVO:** DETERMINA AS LINHAS DE AÇÃO E OS RUMOS QUE O ESCRITÓRIO TOMARÁ, OS ÓRGÃOS INFERIORES TRATAM DE PRATICAR ATOS EM BUSCA DA CONCRETIZAÇÃO REAL DESTAS AÇÕES.

2 – **DIRETOR PRESIDENTE:** ASSEGURAR A OBTENÇÃO DOS RESULTADOS DEFINIDOS NOS PLANOS OPERACIONAIS E ADMINISTRATIVOS, EM CONFORMIDADE COM O DIRECIONAMENTO DO CONSELHO DELIBERATIVO, SEUS PRINCÍPIOS E FILOSOFIA DE GESTÃO, DENTRO DAS DIRETRIZES ESTRATÉGICAS E OPERACIONAIS ESTABELECIDAS, POR MEIO DA COORDENAÇÃO GERAL DE TODAS AS ÁREAS DO ESCRITÓRIO. IMPORTANTE SALIENTAR QUE O DIRETOR DEVE SE LIMITAR A QUESTÕES ADMINISTRATIVAS E NÃO SE ATER A QUESTÕES OPERACIONAIS QUE DEMANDAM TEMPO E PODEM SER RESOLVIDAS POR OUTROS OPERADORES, FOCANDO EM QUESTÕES DE MAIOR AMPLITUDE.

3 – **REPRESENTANTE EXTERNO:** INTERAGIR COM O DIRETOR PRESIDENTE LEVANDO DADOS E RESULTADOS DO ANDAMENTO OPERACIONAL DE ACORDO COM O PRÉ-ESTABELECIDO. RESTRINGINDO O CONTATO DO DIRETOR PARA AMPLIAR SEU ESPAÇO DE ATUAÇÃO PARA ASSUNTOS DE MAIOR CONOTAÇÃO. BEM COMO INTERAGIR COM O REPRESENTANTE INTERNO PARA DIRIMIR QUESTÕES CONTROVERSAS, CASOS EXCEPCIONAIS. ESTANDO CIENTES DE TODAS AS OPERAÇÕES DO NUCLEO JURIDICO.

4 – **REPRESENTANTE INTERNO:** INTERAGIR COM O DIRETOR PRESIDENTE LEVANDO DADOS E RESULTADOS DO ANDAMENTO OPERACIONAL DE ACORDO COM O PRÉ-ESTABELECIDO. RESTRINGINDO O CONTATO DO DIRETOR PARA AMPLIAR SEU ESPAÇO DE ATUAÇÃO PARA ASSUNTOS DE MAIOR CONOTAÇÃO. BEM COMO INTERAGIR COM O REPRESENTANTE EXTERNO PARA DIRIMIR QUESTÕES CONTROVERSAS, CASOS EXCEPCIONAIS. ALÉM DE DAR APOIO AO DIRETOR PRESIDENTE EM CASOS ESPECIFICOS.

5 – **DIRETORIA ADMINISTRATIVA:** RESPONSÁVEL PELA COLETA E ELABORAÇÃO DE RELATÓRIOS MENSAIS E TRIMESTRAIS PARA A DIRETORIA, COLETAR E ELABORAR RELATÓRIO DE DESPESAS PARA SOLICITAR PAGAMENTOS E AUDITAR TODOS OS DADOS ENVIADOS PELOS COLABORADORES DO ESCRITÓRIO.

6 – **DIRETORIA JURIDICA:** COORDENAR AS OPERAÇÕES DE TRATAMENTO DE SOLICITAÇÕES, PLANTÕES, FLAGRANTES, ZELANDO PELO BOM DESEMPENHO TECNICO PROFISSIONAL DOS TRABALHOS. COLETAR DADOS DE TODAS AS ATIVIDADES DESENVOLVIDAS DENTRO CAMPO JURIDICO.

7 – **DIRETORIA DOS ESTADOS:** ÁREA INDEPENDENTE EM DESENVOLVIMENTO NO NÍVEL INICIAL. DESENVOLVER SISTEMA ESPECIFICO DE TRABALHO LEVANTANDO DADOS E ELABORANDO RELATORIOS GERENCIAIS PARA A DIRETORIA. FAZER O ARMAZENAMENTO DE DADOS E APRESENTAR DE FORMA ELABORADA OS RESULTADOS.

8 – **DIRETORIA DE RELAÇÕES INSTITUCIONAIS:** TEM POR FUNÇÃO PRINCIPAL RECOLHER TODAS AS SOLICITAÇÕES DOS CLIENTES DIRECIONANDO AO SETOR ESPECIFICO PARA DEVIDO TRATAMENTO.RECEPCIONAR E DIRECIONAR SITUAÇÕES OCASIONAIS DE FLAGRANTES E FUNERAIS, BEM COMO ACOMPANHAR PLANTÕES SOLICITADOS.

9 – **DIRETORIA ECONOMICA:** RESPONSÁVEL PELOS CONTROLES FINANCEIROS E PAGAMENTOS GERAIS RELACIONADOS AO TRABALHO JURIDICO.

Nessa configuração, Valdeci se declarou diretor-presidente e chefe da "Sintonia".

Criou-se, então, um "protocolo de segurança" com normas que deveriam ser obedecidas por todos e que, em resumo, consistia no abandono de telefones e destruição de computadores e registros na hipótese de ser preso um dos membros da Sintonia. A descrição é esta, mantendo-se a grafia original:

> AZUL - 19/05/14 - ESPERO QUE TODOS ESTEJAM BEM E COM SAUDE. UMA BOA SEMANA A TODOS.
> PROCESSO NA CORREGEDORIA 2 FOLHAS FRENTE E VERSO 2 1 SOMENTE FRENTE.
> SOBRE O **PROTOCOLO DE SEGURANÇA** - TODA VEZ QUE O SETOR É COLOCADO EM RISCO É TROCADO TODO O PROTOCOLO DE SEGURANÇA, TELEFONES. EMAILS, HD DOS COMPUTADORES, LOCAL DE TRABALHO DAS GESTORAS, CONSEQUETEMENTE TROCA DE INTERNET, OU SEJA, TUDO QUE RESTABELEÇA A SEGURANÇA DE TODOS NÃO SÓ A NOSSA. TODOS DA REGIÃO 011 FORAM AVISADOS DO OCORRIDO E A HR9 TAMBÉM AVISOU OS DA REGIÃO 018, NINGUÉM ESTAVA SEM SABER O QUE FAZER, ELES ESTAVAM ASSUSTADOS COM O QUE OCORREU PORQUE NINGUÉM SABIA EXATAMENTE O QUE ESTAVA OCORRENDO, TODOS SABIAM DA CARTA FORJADA, MAS COM UMA ATUAÇÃO DESSA NINGUÉM ESPERAVA, ATE PORQUE ELES FORAM DEPOR EXPONTANEAMENTE ENTÃO PEGOU TODOS DE SURPRESA E DEVE SER POR ISSO QUE TRANSPARECEU QUE ELES NÃO SABIAM O QUE DEVERIAM FAZER, MAS ESTÃO ACOSTUMADOS COM ESSA TROCA DE PROTOCOLO. ESSA TROCA DE PROTOCOLO DE SEGURANÇA NÃO É A PRIMEIRA VEZ QUE OCORRE, CLARO QUE DESTA VEZ FOI DE UMA FORMA MAIS TURBULENTA, POIS NÃO TÍNHAMOS IDEIA DO QUE ESTAVA ACONTECENDO E SE HAVIA OUTROS INDÍCIOS QUE CHEGASSEM ATÉ NÓS. SEI ONDE ESTOU TRABALHANDO E NÃO FUGI EM NENHUM MOMENTO DE MINHA RESPONSABILIDADE, APENAS FOI PRECISO TROCAR TUDO E ISSO LEVA UM TEMPO, POIS DEPENDEMOS DE DINHEIRO E TEMPO PARA QUE TUDO SEJA RESTABELECIDO. DE QUALQUER FORMA NÃO FICAMOS TOTALMENTE PARADOS, APENAS NÃO TÍNHAMOS O COMPUTADOR PARA ENVIAR E RECEBER EMAILS, BEM COMO
> PARA ELABORAR O PROCESSO NA CORREGEDORIA. ATE O MOMENTO NÃO FOI DETECTADO PREJUÍZO NESSA TROCA DE PROTOCOLO PRECISAMOS TER MUITA CAUTELA, POIS FORAM APREENDIDOS COMPUTADORES DOS QUAIS PODEM SER VASCULHADOS E QUEM SABE DETECTADO OUTROS PROFISSIONAIS DE ALGUMA FORMA. É DE CONHECIMENTO DE TODOS QUE O GAECO NÃO SAI SEM UM OBJETIVO
> MAIOR E SE ESTAMOS NO MEIO DISSO, TEMOS QUE NOS PRECAVER E NÃO COLOCAR TODO UM TRABALHO A PERDER. ENTENDO QUE NÃO GOSTARAM E QUE DEVE SER FEITO UM PLANO B. TUDO JÁ FOI RESTABELECIDO. QUALQUER DÚVIDA ESTOU A DISPOSIÇÃO PARA.RETORNOS - GOSTARIA DE PEDIR UM POUCO DE PACIÊNCIA COM RELAÇÃO AOS RETORNOS, POIS ESTAMOS COLOCANDO TODO O SERVIÇO EM ORDEM E OS PROFISSIONAIS ESTÃO SE DESDOBRANDO PARA QUE NÃO HAJA PREJUÍZO A NENHUM CLIENTE. PORTANTO REGISTREI TODOS OS PEDIDOS ENVIADOS POR VOCÊS PARA

SABEREM QUE FOI DADO ATENÇÃO, MAS EM ALGUNS CASOS O RETORNO FICARÁ PARA SEMANA QUE VEM DEVIDO A FALTA DE TEMPO DO RETORNO POR PARTE DOS PROFISSIONAIS QUE ESTÃO EM DILIGÊNCIAS
DIVERSAS, TANTO DO PROCESSO NA CORREGEDORIA QUANTO DAS SOLICITAÇÕES CORRIQUEIRAS DO SISTEMA. SOLICITAÇÕES, SEMANA DE JUNHO.

Mas outras coisas chamaram atenção na Ethos. A primeira é o planejamento e o sucesso na infiltração de uma instituição legal de um órgão da administração pública conhecido como Condepe – Conselho Estadual de Defesa dos Direitos da Pessoa Humana. Dois advogados da Sintonia dos Gravatas conseguiram corromper um dos conselheiros do Condepe, que vamos chamar de Luís, com um salário da organização e mais um bônus para obter informações privilegiadas para atuar a favor da organização. A própria liderança da organização forneceu um projeto estrutural com organogramas e funções, além das diretrizes a serem seguidas. Foi assim que o Luís, como conselheiro do Condepe, começou a realizar diligências em presídios a mando do PCC. Mais ainda, organizou com os advogados da Sintonia dos Gravatas os protestos e manifestações públicas contra aquele que achava ou taxava de ação abusiva do Estado.

Nas próprias comunicações do PCC isso fica explícito quando nos deparamos com a frase "Minar o governo e a SAP" (Secretaria de Administração Penitenciária), com imagens comprometedoras de supostos maus-tratos.

O objetivo principal dessa parceria é a penitenciária de Venceslau, onde estão as lideranças do PCC. Nesse texto, uma frase chama atenção: "Não serão economizadas moedas para essa situação, tudo que for necessário de dinheiro pode ser usado sem miséria, o quadro dos 'gravatas' também já foi avisado da prioridade desse projeto".

O modelo boliviano se repete mais uma vez; primeiro, violência zero ou reduzida. Segundo, o uso do dinheiro para conseguir o que se quer. Inclui-se aí o estímulo a projetos sociais feitos pelos "gravatas" e pelo conselheiro do Condepe, a busca de um modelo de expressão política por meio de um órgão da administração pública estatal e, por fim, no próprio comunicado em que se faz uma referência à campanha de informações com vídeos e títulos para que se caracterizem o excesso e o abuso por parte do Estado. Não é coincidência.

Em seguida, ainda dentro da Operação Ethos, chama atenção a comunicação do "Protocolo de Segurança", um tipo de atitude típica de organizações de inteligência militares ou terroristas. Poderia ser um efeito da Operação Militar Boliviana. A Frente Patriótica Manuel Rodriguez, de Norambuena, fazia algo semelhante. Pode ser também mera inspiração dramática de Valdeci, bem ao estilo de quem assistiu ao filme *Missão Impossível – Protocolo Fantasma*. A teoria mais simples costuma ser a verdadeira. Tanto assim que nem sequer passou pela cabeça dos membros da "célula" que os e-mails estivessem sendo interceptados e, assim, pouco ou nada adiantava a destruição dos computadores.

Felizmente os "gravatas" foram todos presos, a infiltração foi cortada, os computadores e telefones apreendidos e a célula da Sintonias dos Gravatas acabou caindo.

Como tema subsidiário, no último ano, o Brasil foi surpreendido por uma sequência de megarroubos praticados contra empresas de transporte de valores. O planejamento desses eventos é evidentemente militar. Algo fora de qualquer padrão que houvesse no Brasil antes.

Um dos megarroubos praticados com o uso de metralhadora .50

Um dos megarroubos praticados com o uso de .50Essa sequência de ações que ocorreram no Brasil não tem parâmetro. Ela inclui o bloqueio de vias de acesso feito de modo espetacular, a fixação de rotas de fuga previamente estudadas como alternativas, o uso de armamento militar superior a qualquer tipo usado antes.

A logística impecável produziu ações idênticas no Nordeste, Sudeste e até mesmo no Paraguai. A metralhadora .50 foi considerada a queridinha da facção. Transportar armamento desse tamanho não é fácil. É preciso ter uma estrutura complexa. No entanto, de repente são achadas nesses crimes reiteradamente, sem qualquer dificuldade. Acabou-se verificando que a procedência da maior parte dessas armas é justamente o Exército boliviano.

No Brasil, dois militares foram presos dirigindo um caminhão militar com carga de maconha vinda do Paraguai, da região dominada antes por Rafaat, com destino a Campinas.

Pela primeira vez, um soldado de Infantaria deserta e se junta ao PCC para organizar a defesa da "Cracolândia". Age disfarçado de "noia". Anderson A. S. B. era soldado do Exército brasileiro em um batalhão situado no Nordeste. Desertou para trabalhar como segurança do PCC e passou a agir na Cracolândia. Usava uma metralhadora com silenciador e buscava sempre o disFarce. Ora como "noia" morador de rua, ora como usuário classe média com roupas de grife. Usava, porém, sempre a mesma metralhadora, roupas de grife, possuía cachorros de raça e não demonstrava nenhuma característica de viciado. Sua prisão era prioridade no desfecho da operação, já que seria justamente o encarregado de fazer o confronto com a polícia. Entretanto, antes que a operação fosse desfechada, ele fugiu. Foi preso depois em uma diligência específica.

O que se vê aqui é um crescimento em direção à questão militar. O Estado está perdendo essa guerra. Invocando o jargão da organização: "Tá tudo dominado".

CAPÍTULO 29

O PCC PERDE UM BRAÇO

A cidade de Santa Isabel, no interior de São Paulo, não tão distante da capital, é conhecida como uma pequena e tranquila cidade. Em 17 de julho de 2015, na zona rural, os policiais do Denarc foram verificar uma mansão cinematográfica em um sítio cuja área mais parecia uma fazenda.

Helicópteros haviam fotografado o local e mostrado que havia apenas uma única via de acesso até a casa. Essa via era guarnecida por uma pequena casa, como uma guarita, onde um atirador permanecia com um fuzil para evitar a entrada de policiais e concorrentes. O entorno da casa e da guarita era completamente desabitado.

Quando o vigilante atirador percebeu a força que foi deslocada pelo Denarc para invadir o local, ele largou o fuzil e saiu correndo pela mata, não teve coragem para enfrentar. Os policiais avançaram rapidamente e invadiram a mansão. Efetuaram a prisão de um dos maiores lotes de cocaína até hoje: uma tonelada e 600 quilos de cocaína, a maior parte em forma de pasta-base, ou seja, iria render muito mais.

Eles tinham desmontado o maior laboratório de refino e mistura de cocaína do país, onde a pasta-base era refinada. Várias pessoas foram presas, inclusive o chefe do laboratório e um dos comandantes do tráfico. Foi o final de uma bem-sucedida operação que levou cerca de quatro meses para ser realizada e teve início a partir do momento em que se soube que um traficante pagou um milhão e meio de reais pela casa que usaria como esconderijo. Foi pago em dinheiro vivo para que não houvesse rastreamento da conta.

No espólio da operação, a apreensão de armas, drogas, carros com fundos falsos e, sobretudo, a prisão daquele que será denominado de W – porque o processo está em tramitação – e cujo apelido era Capuava – apontado como líder do tráfico do PCC.

Revelou-se então uma estrutura criminosa e a principal central de produção de cocaína que abastecia o PCC. A cocaína era trazida da Bolívia e levada direto para esse laboratório. W exigia que assim fosse por ser a única forma de manter o controle sobre o fluxo da droga e evitar desvios.

A primeira mistura da pasta-base, transformada e refinada, era colocada em sacos de 20 quilos, levados em fundos falsos de veículos da facção. Eram preparados com sofisticados recursos eletrônicos, que agiam de uma forma que mesmo se houvesse um exame, se cortassem o carro, não iriam conseguir abrir – a não ser que o responsável acionasse um mecanismo.

Esses sacos de cocaína refinada eram levados às "padarias" – termo já mencionado. Nelas, a droga recebia novas misturas e se transformava em crack, para depois ser entregue às mulas, que, por sua vez, levavam a droga manipulada para as bocas, onde eram vendidas.

Eram várias "padarias" espalhadas pelo Estado e nelas também funcionava um esquema de compra direta da droga. Para isso, a pessoa interessada tinha que ter um cadastro. Essas pessoas eram indicadas pelos próprios traficantes ou presos. Depois de identificadas elas poderiam comprar, porém em quantidades grandes para revenda, não era para uso próprio. Como esses terceiros eram indicados por membros da facção, infiltrar um policial ou um rival era muito difícil.

O valor combinado de venda da cocaína nesse esquema terceirizado variava de acordo com a demanda, então era quase como um leilão. Havia uma cotação que subia e descia conforme a procura.

Quando o laboratório principal onde estava W caiu, também uma das "padarias" foi neutralizada, em São Bernardo do Campo. Foram identificados os responsáveis, várias pessoas foram presas, inclusive o líder do lugar.

Pela primeira vez uma "padaria" central do PCC é desmantelada

W ficou pouco tempo encarcerado. Em menos de três dias ele foi libertado por um *habeas corpus*, decisão tomada por um desembargador do Tribunal de Justiça, que entendeu que W não tinha vínculo com aquela droga, pois só estava entrando na mansão – muito embora ele estivesse entrando na propriedade com um carro com fundo falso onde havia vestígios de cocaína.

A libertação do maior traficante de São Paulo teve um grande impacto. A decisão foi colocada sob uma série de suspeitas e houve diversas consequências: o desembargador que concedeu o *habeas corpus* foi afastado do cargo e obrigado a se aposentar. Mas a essa altura do campeonato, W já havia fugido.

Esse foi o maior golpe que o PCC levou em termos financeiros. Foram apreendidas quase duas toneladas de cocaína, além de a investigação ter revelado uma estrutura muito moderna e incomparavelmente mais sofisticada do que aquela que existia antes. Revelou também uma força que se considerava insuspeita: o envolvimento de um desembargador.

Apesar do sucesso, a ação preocupou a liderança do PCC. Obviamente que, ao ser libertado, W desapareceu. Pelo que se soube, trocou o Brasil pela segurança da Bolívia, no abrigo dos fornecedores, em Santa Cruz de la Sierra. Depois retornou ao Brasil, foi pego, mas a juíza do processo concedeu-lhe a liberdade. Definitivamente, a morte do juiz Machado era parte do passado.

Esse desbaratamento também serviu para o Estado ser apresentado ao "Narcosul", a associação entre a "Confederação" boliviana e o PCC , com o objetivo de se atingir os mercados do Paraguai, Argentina, Uruguai e, com o tempo, ganhar a Europa e a Ásia.

***

Os efeitos dessa superorganização criminosa estão presentes no Brasil, especialmente em São Paulo, de maneira sutil, mas muito eficiente. E a ação do Denarc denominada Operação Marrocos foi a responsável por revelar o esquema boliviano. Nem foi necessário ir para o país vizinho. Aconteceu em agosto de 2016 em São Paulo, no centro da cidade, no número 444 da Rua Conselheiro Crispiniano, um prédio com mais de dez anos, e em outros dois edifícios usados pelo Movimento dos Sem--Teto de São Paulo (MSTS) – cujo objetivo teórico é obter moradia para a população desabrigada.

O prédio invadido, que estava desocupado, era o endereço do antigo Cine Marrocos, daí o nome Operação Marrocos. Um edifício construído em 1952 e que tinha sido cogitado para ser a sede da Secretaria Municipal de Habitação.

Mas lá o MSTS ocultava outra atividade com a sua fachada social: um núcleo de tráfico de drogas. E, longe de agir por benevolência, o movimento cobrava mensalidades dos moradores que eram expulsos à força assim que deixavam de pagar – com essa arrecadação comprava-se a cocaína para ser revendida na Cracolândia. Mais ainda, eles determinavam quem estava autorizado ou não a trabalhar no tráfico da região, a famosa Cracolândia, bem como abastecer a Galeria do Rock – famoso centro comercial nas proximidades.

O lugar abrigava reuniões do PCC e servia de base de distribuição do crack e da maconha que circulavam na Cracolândia. Aplicando um dos cinco princípios aprendidos com os bolivianos, o MSTS preparava a candidatura de um membro seu – na verdade, do PCC – para a Câmara dos Vereadores de São Paulo, e assim fincar um pé na política da cidade.

O núcleo dessa célula era composto por um presidente de prenome R – seu nome não pode ser revelado porque o processo ainda não transitou em julgado –, um secretário-geral, V, que coordenava e liderava as ações criminosas, uma tesoureira, X, e uma vice-presidente, Y. O secretário era o lado sombrio da organização, ou seja, era quem efetivamente organizava o tráfico e tomava as decisões sobre qualquer tipo de ação criminosa; o presidente tinha uma função mais pública e política, e fazia a interface do MSTS com a administração municipal de São Paulo. Era R que buscava apoios e organizava manifestações, obrigando os moradores do Marrocos a participarem delas, sob pena de terem que deixar o prédio e perderem seus pertences caso não aderissem.

A droga ficava armazenada nos elevadores do prédio de mais de dez andares, de forma que, caso houvesse uma invasão da polícia, o elevador seria destravado e cairia dos dez andares se espatifando no chão e espalhando a cocaína.

O grande trunfo dos traficantes do Cine Marrocos não era o elevador, mas o conjunto de vigilância eletrônica que eles mantinham, com mais de 40 câmeras espalhadas pelo prédio e ligadas a um circuito interno de TV, que controlava todos os acessos e a entrada e saída de pessoas. Essas câmeras eram ligadas a um comando central com *no-break* para garantir que funcionasse mesmo com falta de luz, coisa que muitas vezes acontecia, já que as instalações eram precárias.

Além desse esquema de vigilância, no alto do prédio foram instaladas grades e obstáculos de aço para impedir uma eventual descida de helicóptero e a entrada de policiais descendo pelo teto e entrando pela cobertura, onde, aliás, as lideranças permaneciam.

Todos os diretores do núcleo do Cine Marrocos se ligavam a um integrante do PCC chamado F. Esse integrante era chamado de torre, a autoridade máxima do PCC naquele feudo e morador em um bairro de classe média alta. Para F eram prestadas todas as contas, e tudo que acontecia era reportado a ele, que tinha o controle e o poder de mando final. F comandava a situação não só do Marrocos, mas de outras regiões de São Paulo, já que pertencia a um nível superior da organização.

***

O prédio da Conselheiro Crispiniano era alvo de uma ação de reintegração de posse proposta pela prefeitura, dona do imóvel. E era preciso reaver o edifício do Cine Marrocos. Assim, foi elaborada uma ação policial para invadir o local.

A primeira providência tomada foi durante uma madrugada, por volta das 3 horas: cortar a luz do quarteirão inteiro. Essa interrupção aconteceu aproximadamente quatro horas antes da ação. Os circuitos com *no-break* não aguentariam mais do que duas horas e meia. A ideia era agir durante essa "cegueira" temporária do sistema de vigilância da célula do Cine Marrocos. As ruas próximas foram bloqueadas pela Polícia Militar com caminhões e força policial do Choque.

Os policiais do Denarc entraram no prédio focados no escritório da organização, no 10º andar, onde provavelmente também ficavam armazenadas as armas. Na sequência subiu um grupo da Polícia Militar e, com o apoio do Choque, foi fazendo a revista nos andares, cômodo por cômodo.

F não estava ali, ele já tinha sido localizado e preso. Em razão do olho inoperante do sistema de vigilância, os traficantes não perceberam de pronto que os policiais estavam subindo. Ao dar-se conta, imediatamente um bandido que estava em um dos andares abaixo do décimo avisou as lideranças da célula pelo telefone. Perceberam tarde demais.

A polícia conseguiu chegar à cobertura e apreender fuzis, drogas, documentos, computadores. A célula do Marrocos foi praticamente destroçada pelo Denarc. Ao se conhecer a maneira como o comando dali agia, constatou-se que o PCC estava se organizando de uma nova forma, no caso, à moda boliviana.

A organização foi desmobilizada, seus diretores e presidentes, presos, a cocaína, apreendida, assim como toda a contabilidade, toda a documentação, os planos para a candidatura de um dos membros à Câmara de Vereadores.

Como já foi dito aqui, o PCC é tão organicamente organizado que, quando uma célula cai, outra nasce próximo dali. Com a célula do Marrocos aconteceu assim. Cerca de dois dias depois de sua queda, uma nova já completava o espaço deixado no tráfico da Cracolândia.

A Cracolândia é o laboratório do PCC para esse tipo de ação, de comércio, de configuração de liderança, de teste dos princípios da Confederação Boliviana. É uma situação alimentada artificialmente, protegida por uma onda de viciados que serve de escudo para o tráfico e cuja repressão policial é vista como afrontosa, já que o que aparece para a sociedade são os pobres viciados – que estão ali por obedecerem às ordens dos traficantes. Eles obedecem àqueles que fornecem a droga. Questiona-se até, sempre que se tem uma ação que reprima a Cracolândia, o direito constitucional de se ocupar espaços ou se consumir cocaína. Ou seja, é todo um esquema armado, orquestrado com um discurso com forte poder de convencimento, que faça a população da cidade questionar essas ações, assim como as campanhas promovidas pelos cocaleiros da Bolívia.

***

Na análise feita sobre o MSTS, depois da queda da célula do Cine Marrocos, constatou-se que o movimento não evoluiria, portanto não precisava demandar preocupação. Isso porque o MSTS não agia como uma organização que buscava realmente a solução de problemas de uma camada desfavorecida da população da cidade; no âmago, suas reivindicações não tinham legitimidade social. Muito diferente dos movimentos indígenas bolivianos, cujas reivindicações em relação ao desfavorecimento eram razoáveis e eles não sofriam qualquer tipo de exploração dos produtores da droga.

Conclui-se que era improvável que as pessoas que ali estavam fossem votar no candidato indicado pelo MSTS. Então, dificilmente essa organização teria sucesso nessa escalada política. Inclusive era malvista pelas outras organizações de sem-teto que censuravam suas ações.

Marcio Sergio Christino e Claudio Tognolli

CAPÍTULO 30

O PCC É O NOVO REI DA FRONTEIRA

Nada ocorre por acaso. Em 15 de junho de 2016, quase um ano depois de o traficante W, o Capuava, ter sido preso em Santa Isabel, na cidade de Pedro Juan Caballero, no Paraguai, já anoitecia quando um comboio de carros blindados, inclusive um veículo Hummer (de uso das Forças Armadas americanas), ocupados por indivíduos armados de fuzis e pistolas automáticas, trafegava pelas ruas. No Hummer estava Jorge Rafaat Toumani, um dos maiores traficantes do mundo, conhecido como o "Rei da Fronteira" e que dominava boa parte ou quase toda a fronteira entre o Paraguai e o Brasil.

Dias antes, Rafaat havia dado uma entrevista no Paraguai pelo rádio e dizia de modo arrogante que não tinha medo de ninguém, que pouca gente no mundo tinha a proteção que ele possuía. "Eu vendo para quem eu quero, eu que controlo, eu sou o dono da fronteira", disse ele na entrevista, sem saber que tinha selado seu destino. Rafaat estava confiante, apesar de saber que era pressionado em seus domínios por um forte rival: o PCC.

Para aumentar sua afamada e propagada proteção, o Rei da Fronteira chegou a delatar para a polícia local nomes de membros do PCC no Paraguai e a localização de fazendas usadas pela facção no país. Mas nem seu discurso, nem sua delação, nem mesmo sua estrutura de segurança foram suficientes. Mesmo seu Hummer blindado não era páreo para enfrentar uma metralhadora .50, a nova queridinha do crime organizado. Somente um tanque de guerra blindado poderia oferecer resistência a esse armamento.

A arma foi montada em uma van e era operada por Sergio Lima dos Santos, um soldado carioca da reserva do Exército brasileiro.

Rafaat dirigia o Hummer quando a van que ia à sua frente de modo despretensioso abriu a porta dupla traseira, revelando a portentosa metralhadora. Sergio acionou a arma e as balas passaram cortando a blindagem como se esta fosse manteiga.

O Rei da Fronteira morreu na hora, cravejado com 16 tiros, sendo que apenas um já seria suficiente para matá-lo – o restante dos tiros se deu em razão da rajada disparada pela .50. O poder da arma era tão forte que seu tranco e sua potência deixaram uma cicatriz profunda no queixo do soldado atirador.

Na troca de tiros que se seguiu, a grande escolta reagiu com fuzis e pistolas automáticas. Sergio teve de ser socorrido e foi levado a uma casa de um dos envolvidos na trama do homicídio – de Jarvis Pavão, um dos rivais locais de Rafaat – para estancar o sangue e fazer um curativo no rosto, porém a hemorragia era muito grave e ele teve de ser levado ao hospital, onde posteriormente foi preso.

A arriscada, porém efetiva operação, foi a solução do PCC para um dos problemas da Confederação Boliviana: o escoamento da produção pelo mar.

Os bolivianos precisavam chegar ao Atlântico para atingir os grandes mercados da Europa e Ásia, mas no meio do caminho havia um obstáculo: Rafaat. Eles sabiam que o Rei da Fronteira não aceitaria o esquema de exportação – até porque já tinham tentado um contato com ele para azeitarem essa parceria, mas foi em vão. E também ele não tinha estrutura para tanto. Ou seja, não teria ido mais adiante do que já estava estabelecido. Rafaat não entraria Brasil adentro em um território tão amplo e dominado por outra facção que já tinha conseguido envolver várias regiões do país, graças à Sintonia dos Estados. Quer dizer, o PCC tinha toda uma estrutura já pronta. Melhor parceria para os bolivianos não havia. Só faltava se livrarem de Rafaat.

***

Seria muita inocência supor que o PCC agiria sozinho nessa operação. Seria muito difícil conseguir executá-la sem o apoio local de Jarvis Pavão – não se pode afirmar que isso tenha ocorrido, mas seria o aliado natural, além do envolvimento do Exército Popular Paraguaio (EPP) – uma organização revolucionária antigovernamental que receberia uma parte do lucro da venda das drogas em troca da proteção que faria ao tráfico.

Portanto, Rafaat estava completamente isolado, ele não estava dominando o local, muito pelo contrário, estava cercado e não percebeu isso por causa de sua arrogância de achar que era inatingível. A posição de Rafaat naquele momento devia-se em grande parte ao consentimento dos bolivianos que lhe concederam a exploração de uma línea. Mesmo sabendo que sua posição se devia em grande parte ao consentimento boliviano, ele negou-se a atender os avisos para se comprometer com o monopólio do PCC e insistiu em sua independência para vender a quem achasse melhor. Foi seu fim.

Em 2014, Rafaat havia sido condenado a 47 anos de prisão pelos crimes de lavagem de dinheiro e tráfico internacional de drogas. Teve sete aviões e seis fazendas apreendidos pela Justiça brasileira no processo em que era acusado de transportar quase uma tonelada de cocaína, mas não chegou a ser preso. Rafaat cresceu no ramo ao ocupar o espaço deixado por Luiz Fernando da Costa, o Fernandinho Beira-Mar, quando este foi preso em 2002. Rafaat assumiu a distribuição de drogas em Pedro Juan Caballero e em cidades próximas, como Bella Vista Norte e Capitán Bado, todas na fronteira com o Estado de Mato Grosso do Sul.

Com a morte do Rei da Fronteira e com o único grande traficante do Paraguai que havia restado preso, o PCC assume o tráfico na região, administrando e distribuindo a droga que chegava da Bolívia.

Em poucos meses, o volume transportado da droga, feito por pequenos aviões do Paraguai para o Brasil, subiu de duas toneladas e meia para cinco toneladas, segundo informações publicadas na mídia de ambos os países.

Apesar de a morte de Rafaat ter, no fim das contas, contribuído para a expansão do tráfico paraguaio, a paz na região estava longe de se consolidar. Em 14 de março de 2017, Ronny Pavão, irmão do traficante Jarvis Pavão, foi morto a tiros na cidade de Ponta Porã. Ele saía de uma academia por volta das 18 horas, quando foi assassinado. A arma utilizada foi uma pistola 9 mm, e os assassinos usaram uma motocicleta para se aproximar de Ronny. Depois atiraram e fugiram.

As primeiras informações sobre a autoria do atentado apontavam para criminosos brasileiros. Vingança do Comando Vermelho? Ninguém soube.

Em 24 de julho de 2017, quatro brasileiros foram mortos a tiros em Pedro Juan Caballero, no Paraguai, em uma boate chamada After Office. O promotor de Justiça paraguaio Oscar Samuel Valdez, que se ocupou do caso, informou que os homens pertenciam a uma organização criminosa – eram dois casais. Guerra sem fim.

Marcio Sergio Christino e Claudio Tognolli

CAPÍTULO 31

O FUTURO DO CRIME ORGANIZADO

No México, a morte está à espreita em cada esquina, e muitos cidadãos e jornalistas mexicanos sabem disso.

Miroslava Breach morava em Ciudad Juárez, em Chihuahua, norte do México. Sua rotina era dirigir uma SUV vermelha com a qual levava o filho de 10 anos à escola e depois seguia para o trabalho, o jornal *El Norte*.

Em um desses dias normais de sua vida, a jornalista não percebeu a aproximação do homem que usava boné azul, jaqueta verde e carregava um jornal debaixo do braço. Talvez tenha até se assustado com a aproximação do estranho. Mas isso nunca se saberá. O estranho disparou cinco tiros que atravessaram a janela do carro e a mataram instantaneamente, na frente do filho.

Miroslava trabalhava para um jornal investigativo que denunciava o narcotráfico, a corrupção e os conflitos de interesse que envolviam a região fronteiriça entre o México e o grande irmão ao norte, os Estados Unidos. Sua morte foi a gota d´água; sem suportar mais a pressão dos poderosos, o jornal fechou. Recusou-se a pagar o desafio das denúncias com a vida de seus jornalistas.

O modelo mexicano de tráfico anda de braços dados com a morte. Os cartéis do país surgiram a partir do enfraquecimento dos cartéis colombianos, combatidos duramente. Os mexicanos utilizam o privilégio de sua condição geográfica para se vangloriarem de ser os únicos fornecedores para os Estados Unidos, o grande cliente mundial se for levado em conta todo o escopo de entorpecentes que existe.

As facções que dominam o norte do país o fazem de maneira intensa e se dividem em duas categorias básicas:

a. Os que produzem a própria droga.
b. Os que atuam como intermediários na distribuição e venda.

O Cartel de Sinaloa, o mais antigo e que atua no nordeste do país é exemplo de cartel produtor. Já o de Los Zetas – uma dissidência do Sinaloa – é exemplo de cartel intermediário.

Atualmente é o Cartel Jalisco Nova Geração (CJNG), chefiado por Nemésio Orseguera Fernandes, que está em fase de expansão na área e, portanto, o que inspira mais cuidados.

Uma característica intrínseca aos cartéis mexicanos é a antropofagia. Não são poucas as vezes em que uma dissidência interna forma outro cartel para atacar o original e, assim, tomá-lo. Também é comum que atuem, por sobrevivência, como uma rede de associados, mas cada qual com seu *modus operandi*, suas regras.

Los Zetas, por exemplo, tem um regramento peculiar com seus membros avaliados pelo mérito, com metas de arrecadação, que, quando não cumpridas, precisam ser complementadas por sequestros ou roubos.

O governo do país declarou guerra contra as drogas e um banho de sangue instalou-se ao norte do México. Mas esse embate não impediu que os cartéis, hoje, controlem parte do território impondo leis próprias e dominando a vida civil. A preponderância do crime é visível, pessoas são mortas aos montes, não sendo incomum a descoberta de valas com dezenas de cadáveres ou corpos pendurados em viadutos, muitos sem cabeça. Um nível de violência, com mutilações e torturas, até agora nunca visto.

Além de Sinaloa e Los Zetas, há também o Cartel do Golfo – que atua na mesma área do Sinaloa –, o Beltran Levyia – mais uma dissidência de Sinaloa –, o de Tijuana – que controla o tráfico com a região americana de San Diego –, o Cartel de Juarez – responsável por quase 50% da cocaína enviada aos Estados Unidos –, entre outros.

Esses cartéis se arraigaram de tal maneira no norte e nordeste do país que enfrentam o Estado mexicano de igual para igual. E a população, refém dessa situação e no meio desse fogo cruzado, busca afastar-se do conflito, se eximindo, em sua maioria, de tomar partido.

Um relatório do Comando do Estado-Maior das Forças Armadas dos Estados Unidos recomenda que o México seja monitorado como "[...] um Estado fraco à beira de um colapso". O conflito permanece sem solução.

COLÔMBIA

Para se falar de futuro, é preciso voltar ao passado.

O tráfico na Colômbia, pai de todos os cartéis, foi glamorizado na série *Narcos*, do serviço de *streaming* Netflix. A ascensão e queda de Pablo Escobar foram descritas em duas temporadas e, mesmo com suas inexatidões e licenças poéticas, serviu para que a imagem do mais conhecido narcotraficante do mundo retornasse à cena e se fixasse de vez.

Escobar foi o protótipo do supertraficante e modelo de tudo que veio depois. As condições que lhe permitiram crescer começam com o domínio da produção da folha de coca e terminam com a fragilidade do Estado colombiano de combater sua ação e refrear seu poder. A reação, de fato, só veio quando o tráfico incomodou o império norte-americano, e o governo colombiano, reforçado por planos que incluíam desde envio de força-tarefa até a intervenção direta simulada por auxílio de planos econômicos que premiassem a erradicação do plantio da coca, conseguiu algum resultado na repressão. Ao menos no avanço de Escobar, o imperador do Cartel de Medellín, cuja ambição de se apoderar do próprio país (ele inclusive tinha um plano político para isso, até se elegeu deputado suplente em 1982) acabou selando seu destino. A vaidade o matou no telhado de uma casa em Medellín, quando foi perseguido e morto por policiais colombianos ajudados por agentes do Departamento de Combate ao Narcotráfico dos Estados Unidos.

O mito perdurou e a figura do supertraficante ficou colada à memória de Escobar. Outra "contribuição" de Escobar ao submundo da droga foi o uso da violência de uma forma exacerbada e, portanto, midiática. Sua doutrina da "plata ou plumo" – "prata ou chumbo", ou, traduzindo em miúdos, "dinheiro ou morte" (e que pode ser versada para "pague ou morra", ou, ainda, "aceite meu suborno ou morra") – se disseminou pelos cartéis. Era uma estratégia também usada para humilhar o Estado e ressaltar sua impotência diante da força do narcotráfico.

Um episódio seu é particularmente icônico e exemplifica bem essa violência midiática que ele imprimiu ao longo do seu império: ao tentar matar um candidato à presidência colombiana, Escobar infiltrou um passageiro carregando uma bomba em um avião de carreira (no qual o candidato supostamente embarcaria), matando 107 pessoas; mas o candidato César Gaviria não embarcou. Também mandou esquartejar dois membros de sua quadrilha de quem desconfiou, Fernando Galeano e Kiko Moncada, mortes que ocorreram no presídio conhecido por "La Catedral", que ele mesmo construiu para cumprir sua pena. Também mandou explodir bombas em centros comerciais de Bogotá no Dia das Mães, provocando dezenas de mortes.

Atentados e execuções sempre aconteceram na história do crime organizado, mas não nesse nível. Com Escobar iniciou-se uma nova era do narcotráfico, mais violenta, e que se estendeu aos dias de hoje.

Com a sua morte, a Colômbia não se viu livre do temor dos narcotraficantes. Com a dissolução do Cartel de Medellín, o Cartel de Cali ascendeu tão forte quanto, liderado pelos irmãos Gilberto e Miguel Rodriguez Orejuela, que talvez tenham sido mais eficientes no tráfico para os Estados Unidos do que Escobar.

Quando os dois irmãos foram presos e extraditados para os Estados Unidos, o tráfico na Colômbia fragmentou-se em muitos cartéis, como o do Norte Del Valle, que se associou a um grupo paramilitar de direita, as "Autodefesas Unidas da Colômbia", ou o Cartel de la Costa.

O tempo dos supertraficantes deixou um rastro selvagem de sangue e incontáveis mortes. Remanesce ainda a figura das Farc – Forças Armadas Revolucionárias da Colômbia, que viveu muito tempo de mãos dadas com o tráfico (partilhava seu poderio militar em troca do dinheiro do narcotráfico) – que hoje se esfacelou, se desmilitarizou e recentemente firmou um tratado de paz.

DAQUI PARA A FRENTE

Se a situação entre traficantes e Estado se estabilizará daqui em diante é um mistério. Mas sendo ainda o maior produtor mundial de cocaína, a Colômbia ainda terá um papel decisivo na história do tráfico.

Colômbia e México constituem hoje os principais modelos de tráfico do mundo, mas já sentem que estão sendo eclipsados pelo surgimento de uma nova dupla de atuação nesse jogo: Bolívia e Brasil. Resta saber para qual modelo o Brasil se inclinará. Para nenhum dos dois ou para ambos? Por sua grandiosidade territorial e cultural, o país abriga condições muito distintas. Em determinadas regiões o foco é urbano, como em São Paulo e no Rio de Janeiro. Nesse caso, a inclinação deve ser pelo modelo mexicano. Mas na região Norte, no Amazonas e em Roraima, o modelo é parecido com o usado pelas Farc na Colômbia, aproveitando-se do meio ambiente, que, pela dificuldade de acesso, acaba funcionando como uma proteção natural, e que favorece uma ação menos concentrada que a dos morros cariocas, por exemplo.

Aqui ainda não chegamos ao nível mexicano, apesar dos horrores das execuções nos presídios. No México, as mortes são coletivas, matam mais de 40 de uma vez, com pessoas (muitos jovens) mutiladas, decapitadas, decepadas e jogadas em valas comuns.

Mas pode-se dizer que o caminho está sendo traçado para se chegar ao nível de barbárie sem precedentes dos mexicanos. O caso da psicóloga Melissa de Almeida Araujo é um exemplo disso.

Em 25 de maio de 2017, em Cascavel, Paraná, a psicóloga e o marido, Rogério Ferrarezi, chegavam em casa em um condomínio localizado fora da cidade. Melissa desenvolvia seu trabalho com os presos da Penitenciária

Federal de Catanduvas, presídio de segurança máxima e para onde apenas as lideranças criminosas mais violentas e perigosas são encaminhadas. Sem que tivesse a menor noção do que estava acontecendo, assim que chegaram em casa e saíram do carro foram surpreendidos por um grupo de criminosos ligados ao PCC. Melissa foi fuzilada quando estava ainda com o filho de 10 meses no colo.

Para o sucesso dessa ação os criminosos agiram de modo surpreendente: alugaram uma casa no condomínio, vigiaram a família, observaram seus hábitos e escolheram o momento da covardia e vilania. Foi um ataque covarde contra uma família indefesa.

Aqui a organização foi mais longe, criando, para esse crime, um novo departamento, a "Sintonia Restrita", cuja atividade consiste na realização de ações de inteligência, vigilância e ação contra quaisquer inimigos, especialmente agentes públicos.

A nova sintonia teve como primeiro integrante Saulo OS, que fez curso de investigador particular e chegou a instalar câmeras de televisão nas proximidades das residências das prováveis vítimas. A ideia era executar as vítimas simulando um latrocínio (roubo seguido de morte), de modo a não gerar desconfiança.

A psicóloga, entre todos os funcionários do presídio, era a que mais se preocupava com o bem-estar dos presos. Muito provavelmente, se o PCC ainda estivesse sob o comando de seus "Fundadores", essa ação não teria acontecido.

De acordo com a Polícia Federal, o PCC cometeu o crime com a intenção de intimidar e desestabilizar os servidores que trabalhavam em quatro unidades federais, como essa de Cascavel. Os criminosos do PCC consideravam – e consideram – opressor o regime aplicado nessas penitenciárias, já que os agentes dessas unidades costumavam barrar o acesso dos presos a vantagens ilegais, como a posse de telefones celulares.

Realmente, falta muito pouco para o Brasil virar um México no quesito narcotráfico. É preocupante.

EPÍLOGO
POR MARCIO CHRISTINO

A história do PCC vai continuar, é claro. Mas, em meados de 2017, me pareceu pertinente o desejo de deixar registrada toda a memória dessas ações, para que os próximos a lidarem com esse mal possam ter a noção daquilo que estão encarando – mesmo correndo o risco de inspirar alguns ou muitos, achei que valia a pena.

Quando o tempo passa e a idade vem, quando começamos a ver que as situações começam a se repetir ou ficar parecidas, talvez seja a hora de parar. Com 30 anos de Ministério Público, todos na área criminal, e pelo menos 15 discutindo crime organizado, penso que minha contribuição já foi dada.

Uma coisa que quero ressaltar é que nesses 15 anos, ouvindo gravações de interceptações telefônicas e ambientais – quando os alvos das investigações não sabem que estão sendo investigados – e entrevistando presos, jamais ouvi um deles justificar suas ações em razão de uma questão prisional "válida": o mote era sempre executar inimigos e obstáculos a seus objetivos, comércio de drogas e enriquecimento ilícito. Em nenhum momento a questão da superlotação ou demora (que não há em São Paulo) na concessão de benefícios vieram à baila.

Quero também salientar que são os presos os que mais engordam as estatísticas das pessoas mortas pelas facções, quer dizer, os mais atingidos por essa guerra são aqueles que as facções, teoricamente, dizem defender.

Surpreendo-me com as complexas teorias que leio sobre a vida carcerária dando sustentação ao crime organizado – não é isso que vejo acontecer. Ouço expressões como "O PCC não é uma sociedade criminosa, mas uma sociedade formada por criminosos" e fico imaginando se alguém pode realmente pensar desse modo após ouvir as discussões de um Tribunal do Crime ou o planejamento de mortes sem fim.

O que não me surpreende mais é ouvir ou ler colocações feitas que dão ao PCC o papel de um Estado suplementar, fornecendo aquilo que a administração pública não faz a contento, como justiça e ações sociais, por exemplo. Também é preciso dizer que o interesse sobre o PCC acabou criando um mercado de informações, no mais das vezes sendo feitas apenas por meio de entrevistas com os próprios presos e supostos membros do PCC, os quais, como de praxe, falam o que lhes interessa e acabam sendo ouvidos no que interessa ao entrevistador também. Ter apenas um dos lados mostrando sua história é sempre um caminho parcial e perigoso. Como já foi relatado, a intenção de fazer uso indireto da propaganda é um dos motes principais do crime organizado hoje.

O PCC não faz justiça, faz justiçamento, atende apenas aos próprios interesses e não oferece nada mais do que mortes aberrantes. Não fornece remédios nem alimento. Compra a vida, porque, na desobediência ou no desagrado do "Partido", o suposto beneficiário é punido com a morte ou a mutilação.

Existe uma grande diferença entre dominação e administração, e alguns pagarão com a vida por tal confusão.

Resta ao Estado agir com firmeza maior do que a feita até aqui. As medidas restritivas são demasiadamente lenientes, inferiores às dos países onde o crime organizado foi enfrentado com algum êxito, especialmente nos Estados Unidos. E a falta de entendimento da desumanidade de tais medidas, que, repito, são necessárias, resultará em cada vez mais cadáveres de Melissas, em referência ao crime bárbaro narrado no capítulo anterior. Existe pelo menos um projeto de lei, já aprovado no Senado, com medidas práticas nesse sentido[11]. É primordial que a Câmara dos Deputados siga com rapidez na aprovação do projeto, para que receba logo a sanção presidencial.

Faço este registro com a esperança de que, em algum momento, no reverso da história, alguém se lembre do passado e do esforço e dedicação que gastamos, eu e tantos amigos no Ministério Público e na Polícia Civil, para proteger as famílias e a vida em geral.

Sorte para aqueles que agora lideram o combate. Vocês vão precisar.

---

[11] O Projeto de Lei 7.223/2006 diz que o isolamento, que em regra é limitado e aplicado apenas excepcionalmente em função de crimes praticados dentro do sistema prisional, seria convertido em um novo tipo de regime de cumprimento de pena aplicável aos membros de facção criminosa. Dessa forma não haveria limitação de internação senão a própria pena aplicada e eventual progressão dependeria também do mérito do condenado.